D1098261

La petite buissonnière

Collection dirigée par
Christian Poslaniec

ISBN 2-86726-969-5

Nadine Brun-Cosme

La petite buissonnière

Illustrations de
Anne Maisse

Milan

Écrire serait comme tendre un fil sans trop savoir s'il va vers le lointain ou bien revient, s'enroule, se replie sur l'enfance. Dessus, les mots se posent en fragile équilibre, reprenant souffle entre deux vols.

Nadine Brun-Cosme est l'auteur d'albums : *Marie de la mer, Les pigeons, Alex et le silence* (Éditions Milan), et de romans : *Lisa l'intruse, 15e étage, porte droite : Léo* (Milan), *J'ai vu mon père à la télé* (Chardon bleu).

Elle anime des ateliers d'écriture en direction d'enfants et d'adultes, et intervient dans le cadre de formations destinées aux enseignants et aux bibliothécaires.

Anne Maisse est née en 1965 à Lunéville (en Lorraine). Elle a tout d'abord suivi pendant deux ans les cours des Beaux-Arts, puis ceux des Arts-Décoratifs pendant quatre ans, à Strasbourg, dans l'atelier de Claude Lapointe. Elle a plus particulièrement travaillé pour la presse et l'édition de livres pour la jeunesse. Une de ses grandes passions ? Le squash... qu'elle pratique tous les jours !

Je remercie ici le Centre national des lettres,
dont l'aide m'a permis de prendre le temps
nécessaire à ce travail.

Nadine Brun-Cosme

1

— But ! hurle Marie.

Son cri résonne, limpide. Elle repart aussitôt en courant. Ce matin, malgré le froid, le terrain est luisant de soleil. On le croirait mouillé. Le vent le parcourt en tous sens, soulevant au hasard les cheveux des enfants. Marc le respire à pleins poumons.

Sans cesse, sa pensée s'échappe vers le paysage qui défile : les troènes autour du terrain, le grillage, au-delà les prés soyeux, les sillons éphémères que la brise y trace, le petit bois touffu qui vient jusqu'à l'école, et plus loin les grands arbres filant vers le ciel. Les grands arbres ! Courant avec les autres, plus que le reste, ce sont eux que Marc cherche du regard. Chaque fois qu'ils passent devant ses yeux, malgré les cris, un grand silence se fait aussitôt dans sa tête, plein des bruits du feuillage qu'il imagine et n'entend pas. Car chaque fois, devant ces arbres, il en revoit d'autres, aussi grands, aussi fiers : les grands arbres de Jeanne !

— Passe ! hurle Arnaud sur sa droite.

Marc tend les bras, reçoit le ballon, le renvoie mollement.

— Réveille-toi ! crie Annie qui le rattrape au vol.

Marc reprend sa course. Mais bientôt, devant les prés, tendres comme un grand lit, devant les arbres scintillants, ses pensées retournent vers la maison de Jeanne.

— Passe ! crie Franck.

La balle revient, Marc la saisit, la relance. Il cherche à nouveau les grands arbres lointains, devant ses yeux passe le grillage... Il ralentit ! Près du bois, une tache claire vient de surgir ! Il regarde mieux et se fige ! Là, contre le grillage, un visage les observe. Un enfant ! Un enfant hors de l'école !

Courant vers le ballon, Yann le bouscule. Il crie :

— Oh, Marc ! Tu rêves ?

Marc le regarde et murmure, le bras tendu :

— Là ! La fille...

— Quoi la fille ?

— Là ! Derrière le grillage !

Disant cela il regarde à nouveau... Il n'y a plus rien !

— Oh dis ! lance Yann ; t'as des visions !

— Je te jure, y'avait quelqu'un !

Yann hausse les épaules et repart en criant.

— Amène-toi, plutôt ! On va gagner !

Marc jette encore un regard au grillage. Là-bas les buissons s'agitent comme avant. Déçu, il va rejoindre Yann.

Un coup de sifflet strident zèbre l'air. Aussitôt les cris éclatent :

— On a gagné ! On a gagné !

Les enfants courent en tous sens. Posté en retrait, l'instituteur attend quelques instants, puis lance d'une voix ferme :

— Allez, on remonte dans la cour ! C'est l'heure de la récré !

Les cris s'éteignent peu à peu. Écarlates et les yeux brillants, les enfants ramassent les pulls qui traînent aux abords du terrain et se dirigent vers l'escalier que M. Berne gravit déjà.

Resté seul, Marc pose un genou à terre. Quand Yann se retourne et lui crie :

— Oh Marc ! Tu viens jouer aux billes ?

Il lance :

— J'arrive ! M'attends pas, je refais mon lacet !

Yann s'éloigne derrière les autres. Sitôt qu'ils ont disparu en haut de l'escalier, Marc se redresse et part... dans la direction opposée ! Vers le grillage ! Il franchit la limite du goudron, foule la bande d'herbe et se retrouve devant les troènes. Il les écarte, se glisse vivement dessous. Là, soudain, une émotion lui noue la gorge.

Les troènes ! C'est là qu'il venait se cacher dans sa première année d'école, quand la cour semblait si grande et qu'elle lui faisait peur. C'est là qu'il venait rêver à la maison des bois, aux grands arbres et à Jeanne, qu'il avait dû quitter sans comprendre pourquoi. Tout contre ce grillage qui lui semblait si haut, il regardait le vent bousculer le feuillage. Et soudain, loin des cris aigus qui montaient de la cour, il entendait à nouveau :

— Marc ! Couvre-toi ! Il fait trop chaud !

La voix de Jeanne portait loin. Alors tout revenait. Courbée dans le jardin, sous son grand chapeau jaune, elle fouillait les feuilles à la recherche de fruits rouges. Assis contre le mur, Marc savait qu'elle resterait là tout le temps qu'il y aurait du soleil. Jeanne aimait le soleil. Au-delà du jardin il voyait l'herbe haute, et plus loin, les grands arbres.

Il avait cru longtemps que c'étaient eux qui soutenaient le ciel au-dessus de la maison de Jeanne. Et même, il avait cru qu'elle serait là toujours, courbée dans le soleil à cueillir des fruits rouges qu'elle rapportait le soir avec un grand sourire gourmand. Et Marc criait :

— Tu es comme un soleil !

Et Jeanne riait et elle le serrait fort ! Pour Marc, cela allait durer toujours !

Jeanne gardait Marc parce qu'il était petit. Jeanne était sa nourrice. Un jour il y eut l'école ; l'école dont on lui parlait comme d'un grand jeu, d'un gros gâteau plein de crème à en attraper mal au ventre. Marc eut très mal au ventre.

Plus tard, Jeanne quitta sa maison ; pour un immeuble. Jamais plus les grands arbres ne portèrent le ciel au-dessus.

À chaque récréation de cette première année, en inventant la voix de Jeanne, Marc espérait la voir surgir soudain de l'autre côté du grillage ; l'entendre crier pour de bon :

— Marc ! Couvre-toi !

Jamais elle n'apparut. Marc apprit que pendant la récré, on n'allait pas en bas ; qu'on restait dans la cour. Puis, il apprit à moins en avoir peur ; eut un copain. Et peu à peu, il n'attendit plus Jeanne et crut qu'il avait oublié.

Aujourd'hui, en replongeant sous les troènes, Marc retrouve tout intact. Une seconde, il est tenté de se refaire tout petit dans l'ombre du feuillage. Et puis, il a peur ; peur de ces souvenirs qui accourent en désordre. Aujourd'hui, de l'autre côté du grillage, il y a quelqu'un. Il en est sûr. Une petite Jeanne, venue trop tard. Il attend longtemps et n'entend que le vent dans le bois.

Soudain, contre le buisson le plus proche, quelque chose bouge ; une mèche très claire qui s'enroule un instant dans une branche. Un visage apparaît.

Elle est bien là. Marc regarde intensément. Quittant son abri, elle plante ses yeux dans les siens. Elle les a sombres. Marc suit sur son visage le mouvement des cheveux balayés par le vent, ce mouvement lui en rappelle un autre.

Elle fait un pas. Lui, impressionné, recule, quitte l'abri des arbres...

— Marc ! Alors !

Marc sursaute, se retourne. En haut des marches, sourcils froncés, M. Berne le regarde. Marc frémit. Il se tourne vers le grillage, une tache claire se fond dans le bois.

2

Tôt le matin, Sarah quitte la maison. Elle embrasse le voile de Pluche, frôle la plume du hibou à moustache, salue Théodule, et sitôt la porte franchie, reçoit le jour en plein visage. Une seconde elle s'arrête, s'habitue à la lumière, puis elle part à travers champs. Et chaque matin, le temps se met en route au rythme de ses pas.

Bientôt, elle entre dans le bois, ralentit et écoute. Peu à peu, elle apprend tous les bruits, toutes les odeurs qui peuplent ce coin de forêt. Tout cela, elle l'apprend seule, cherchant derrière à connaître quelqu'un.

Elle sait qu'il est venu là avant elle, elle sait que dans la maison silencieuse où elle habite avec sa mère, il ne faut pas en parler ; pas encore. Ce quelqu'un, c'est son père...

Le jour où il est parti, dans la maison, le temps s'est arrêté. Depuis les rideaux restent à demi tirés, les yeux de sa mère sont si sombres qu'on les croirait noirs.

Sarah sait qu'autrefois il y a eu des rideaux grands ouverts laissant couler la lumière et le temps. Elle sait que les yeux de sa mère ont été doux. Elle le sent dans ses gestes, dans son regard quand elle rêve, dans ses mains quand elle crée des objets aux formes étranges.

Toujours, Sarah demande :

— Maman, à quoi tu penses ?

À ces mots sa mère sursaute, pose les yeux sur Sarah. Une seconde ils sont clairs. Puis elle semble s'éveiller, aussitôt ils s'assombrissent et elle dit en souriant :

— À rien, Sarah. À rien.

Et ses mains reprennent leur ouvrage. Souvent Sarah prend peur, va dans le bois chercher ce que sa mère ne lui dit pas. Et dans chaque bruit, chaque mouvement elle cherche les raisons du départ.

Ce qui l'attire surtout, ce sont les grands arbres qui bordent le champ, ceux qui montent jusqu'au ciel. Elle aime les regarder longtemps s'agiter dans un grand désordre de feuilles. Pourtant chaque fois le vent suit un chemin, toujours le même, qu'elle cherche à apprendre en écoutant le murmure qui l'accompagne.

Et puis, en explorant le bois, elle s'est heurtée au grillage. Jamais encore elle n'était allée aussi loin. Un grillage ! Au beau milieu du bois ! Ce jour-là, elle s'est approchée, y a plaqué son visage. De l'autre côté, par-delà une rangée de troènes, elle a vu une grande étendue noire, très lisse, nue sous le plein soleil. Et brusquement, face à ce vide elle a eu peur. Ses doigts ont agrippé le fer. Dans sa tête, des images anciennes sont venues, de très loin. Elle marchait sur des pierres, lentement. Sous son pied tout à coup elle ne sentait plus rien, basculait dans le vide… Une main l'attrapait, la soulevait de terre, la levait haut, très haut, plus haut que les grands arbres et des bras bien chauds la serraient fort. Cette main, c'était celle de son père.

Sitôt à la maison, elle est montée ce soir-là au grenier. Au fond, il y avait un grand miroir posé contre le mur. Elle s'est tenue devant, comme avant, le temps d'être sûre qu'elle était bien vivante ; le temps pour ses yeux de perdre l'éclat noir qui s'y glissait chaque fois qu'elle était triste ; le même que sa mère. Puis elle s'est assise tout contre son image, sa joue chaude dans le froid du miroir, et elle s'est rappelé la voix ; tous les mots qu'elle formait lentement pour qu'ils soient parfaits, et le rythme exact dans lequel ils s'écoulaient de la bouche de cet homme. De la bouche de son père.

« *C'est important, disait-il, de prendre le temps de les faire beaux, car ce qu'ils disent est magnifique.*

Quand elle pleurait, disait-il, elle pleurait tout contre l'eau. Car l'eau était un grand miroir qui avalait ses larmes. Elle avait, disait-il, des cheveux noirs, très noirs ; tout en boucles serrées au point que le jour n'entrait pas, les faisant briller comme un sombre diamant ; et elle lui prenait sa chaleur, et sa peau était sombre et douce, juste de la couleur que donne à la terre le soleil couchant. Elle aimait le soleil. Elle le suivait des yeux en voguant. Près d'elle, trois femmes à la peau blanche souriaient doucement, attendant la fin du voyage. Et elle, riait plus fort de les voir attendre ; elle, aimait être là ; rien qu'être là, entre le soleil et l'eau lisse. Elle, s'appelait Sarah ; la Sarah du voyage... »

3

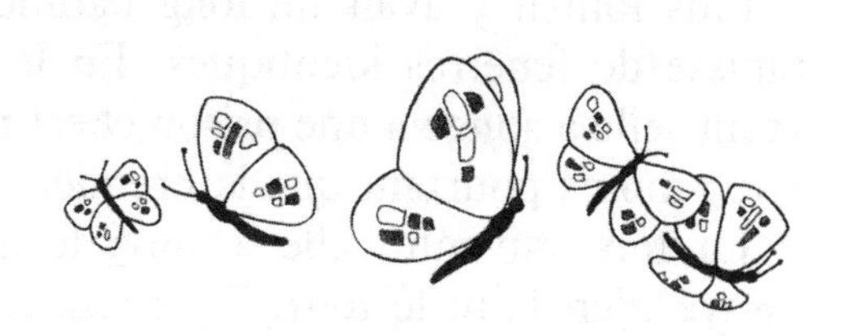

Elle est revenue au grillage. La deuxième fois, elle a osé regarder davantage. Dans l'étendue noire il y avait deux poteaux et chacun portait un filet. Elle a pensé à deux grands filets à papillons plantés en terre. Au-dessus, elle a vu une seconde étendue noire, semblable, avec un escalier pour y monter ; et posés dessus comme des épaves sur une mer d'encre, de gros objets étranges : un grand cube évidé, une pile de troncs couchés. Elle a songé aux objets de sa mère sur lesquels elle promenait son regard. Sur ceux-là, on pouvait se promener pour de vrai !

Plus loin il y avait un long bâtiment gris tapissé de fenêtres identiques. En le découvrant, elle a songé à une prison et est repartie vite ; moins pourtant que la première fois.

La fois suivante, elle a suivi le grillage, essayé d'en faire le tour. Très vite elle a dû s'arrêter. Les buissons étaient trop touffus.

Ainsi, elle est revenue plusieurs fois, et chaque fois n'a trouvé que de grandes étendues de goudron vides et le long bâtiment, désert et silencieux.

Et un matin, en approchant, pour la première fois elle entend des cris. C'est septembre. Le bois commence à jaunir, hésite encore à basculer tout à fait dans l'automne. Sarah adore ce moment furtif où les arbres oscillent entre deux saisons. Elle marche lentement, cherchant les premières feuilles dorées. Et soudain elle entend. Ça vient du grillage. Son cœur bondit. Elle approche à pas lents, dépasse le tout dernier buisson... Et elle les voit !

Il y en a des dizaines, grimpant sur ces drôles d'objets qu'elle ne connaît pas. Des dizaines d'enfants, regroupés sur la surface la plus haute. Aucun ne descend l'escalier. Peut-être n'ont-ils pas le droit ! Peut-être qu'en bas, c'est dangereux ! Elle en voit un qui marche en équilibre sur les troncs couchés, un autre grimpe aux barreaux de la cage, saute en riant. Soudain, elle a envie d'être avec eux. C'est alors qu'un homme s'approche d'un enfant. Il agite un doigt menaçant. L'enfant baisse le nez. L'homme s'éloigne. Sarah le suit des yeux. Il marche au milieu des enfants, les mains dans le dos. Il surveille. Alors, Sarah repense à une prison. Le soir, à nouveau, elle se réfugie au grenier.

Le lendemain, quand Sarah retourne au grillage, elle retrouve les cris. Dès qu'elle sort du bois, elle voit cette fois des enfants qui courent entre les grands filets à papillons. Ça lui fait drôle, qu'ils soient si près. À travers le feuillage, elle les voit se lancer un ballon, essayer de le faire entrer dans les filets. La première fois qu'il y entre, elle pousse un petit cri : il retombe ! Le filet est percé ! Puis elle entend des cris de joie. Intriguée, elle avance pour mieux voir. Comme la veille, elle a soudain envie d'être avec eux, de poursuivre en riant le ballon, de le lancer vers le filet au milieu des cris et des bras tendus.

Un enfant rate le filet. Aussitôt ils repartent. Le ballon heurte le sol. Un sifflet retentit. Alors, Sarah voit l'homme. Puis elle remarque les traits blancs peints au sol. Le

ballon change de main. Pourquoi ? Tout va trop vite. Accrochée au grillage, elle essaie de comprendre. C'est alors qu'elle le voit. Un peu à la traîne, il court lentement. Quand le ballon arrive sur lui, il l'attrape, le relance… C'est alors qu'il la voit ! Aussitôt il tend le bras. Très vite, Sarah recule. Le cœur fou, elle attend. Quand elle risque à nouveau un œil vers le grillage, les enfants courent comme avant, sans plus s'occuper d'elle.

Et puis l'homme siffle. Le jeu s'arrête. Un instant, il y a une grande bousculade, des cris, des rires. Puis ils partent vers l'escalier. Tous, sauf un : celui qui l'a vue tout à l'heure ! Un genou à terre, il attache un lacet, et soudain vient vers elle. Elle recule encore. Bientôt elle entend des arbres s'agiter tout près, ose à peine respirer. Un instant elle prend peur qu'on l'enferme à l'intérieur du grand grillage… Plus rien ne bouge. Elle fait un pas à découvert, sursaute : Il est là, devant elle, le visage contre le grillage !

Elle ne bouge pas. Et lui, surpris, recule. Elle va avancer à nouveau, poser une question… Un cri la fige. Ça vient de l'escalier. Le garçon sursaute. Elle, s'enfuit.

4

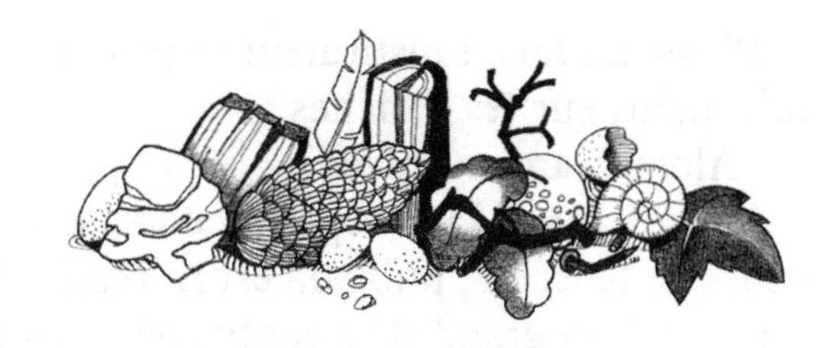

Marc traverse le terrain, monte les marches lentement, comme autrefois, quand on le surprenait enfoui sous les troènes. Quand il arrive dans la cour, un peu tremblant, M. Berne lui tape sur l'épaule et dit :

— La cour, c'est en haut, hein ?

Tout à coup Marc n'a plus peur : M. Berne n'a rien vu !

Marc se met à l'attendre. Tout le reste de la journée il l'attend. Et cette journée lui paraît plus longue encore qu'à l'ordinaire. Lui qui se tient si tranquille, s'agite sans cesse et oublie de copier la leçon.

Plusieurs fois, l'instituteur se plante devant lui, mains sur les hanches :

— Alors Marc, tu rêves ?

Sursautant, Marc reprend chaque fois le cours de la leçon ; puis son esprit repart. Oui, il rêve ; d'un grand rêve confus où se croisent Jeanne, courbée dans l'ombre de son chapeau jaune, et le visage inquiet de la petite fille du matin. Sur lui, sans cesse, passent et repassent des cheveux clairs. Alors, à force que cette image revienne, il se rappelle. C'est comme le mouvement de la vigne contre les pierres de la maison de Jeanne. Marc adorait s'asseoir tout près, si près qu'à chaque souffle de vent elle venait lui frôler la joue. Et il fermait les yeux, se racontant que de longs doigts le touchaient les après-midi de soleil ; peut-être, qui sait, les longs doigts du soleil ?

Au fil des rappels incessants de M. Berne, Marc revient enfin à la leçon, oubliant presque la petite fille. Et puis le soleil déclinant pose un rayon sur sa joue. Tout recommence, la vigne, les cheveux blonds, les arbres frémissants. Marc ferme les yeux, et dès lors, est définitivement absent de la classe pour le reste de la journée.

Le soir, au repas, il y songe encore, au point qu'il demande :

— Dis p'pa, tous les enfants vont à l'école ?
— Bien sûr mon garçon, répond très vite son père qui se souvient si bien de ces années où l'école, ce cauchemar de Marc, en était devenu un pour toute la famille.
— Sauf les petits, ajoute Maman. Ou dans certains pays.

En se couchant, Marc se demande de quel pays elle vient, la petite fille aux cheveux clairs...

Regagnant la maison, Sarah trouve sa mère courbée près du mur. Dans l'ombre de son chapeau noir, ses yeux fouillent l'herbe haute à la recherche d'objets bizarres, de ces choses qu'elle nomme « les objets qui racontent ». Ce sont pourtant des choses bien simples ; un morceau de racine, une feuille craquante grignotée par endroits, une herbe recourbée gardant la forme imprimée par le vent. Sarah aime la regarder quand elle cherche ainsi, qu'elle « fait sa récolte », comme elle aime le dire ; une récolte de choses qui, d'abord, ne sont presque rien. Dès que ses doigts les prennent, les lèvent à la lumière, les font tourner, quelque chose vient : une courbe étrange vibrant dans le soleil, un éclat rouge au creux du bois comme un feu sur le point de s'éteindre, un gros œil vide en forme de sourire… Quand ses doigts les tiennent, ils commencent à raconter. Et puis ses mains assemblent, cherchent à construire avec eux quelque chose, à former un objet plus complexe. Et devant les yeux de Sarah passent des foules de choses. Elle en saisit certaines :

— Tiens, là, on dirait un lion !… Oh ça, dis ! C'est gris comme un orage !

Très vite les objets changent, racontent des

tas d'histoires avant que les mains, soudain, en choisissent une. Elles s'immobilisent. C'est fini. L'objet est fait. Il raconte ; parfois le lion, parfois l'orage ; souvent des instants plus compliqués ; la couleur de l'eau à l'instant où le soleil bascule derrière le rideau d'arbres, annonçant le soir sans qu'il soit là encore ; l'envol des flocons dans la grande immobilité de l'hiver, les jours de ciel gris où plus rien ne bouge que le vent, jouant seul dans les arbres nus. Et quand l'objet est fait, que sa mère le porte à l'intérieur, Sarah le

regarde encore, car souvent, dans la pénombre, l'histoire qu'il raconte change encore ; les reflets de l'eau qu'elle lit dans les courbes du bois boivent davantage le soir tendre un peu triste, et l'herbe courbée vers la branche semble plus haute et plus fragile, tendue comme un danseur prêt à bondir ; et le blanc de l'hiver que racontent les plumes vibre plus fort encore...

Ce soir-là, voyant sa mère tourner et retourner une pierre entre ses doigts, Sarah songe aux grands objets posés sur le béton. Elle revoit les enfants accrochés aux barreaux de la cage, s'y déplaçant comme ses yeux se déplacent sur les pierres et les branches dans les mains de sa mère. Alors, elle demande :

— Maman, dis, ça existe, les prisons pour les enfants ?

Dans les mains de sa mère soudain, la pierre s'immobilise. Elle ne se tourne pas, reste muette. Sarah voit son chapeau trembler. Elle attend, puis part vers la maison, sachant que ce soir, elle n'aura pas de réponse.

Et parce que sa mère n'a pas répondu, et parce que chaque fois que sa mère ne répond pas, Sarah pense que peut-être, certaines choses sont interdites, le lendemain, elle ne va pas au grillage.

Le lendemain, Marc n'est pas plus attentif en classe. Et même à la récréation, il ne parvient pas à se concentrer sur le jeu. Il lui semble que là-bas, les grands arbres s'agitent plus fort. Alors, n'y tenant plus, il lance :

— Je vais aux toilettes !

Et part vers le fond de la cour, près de l'escalier. Là, il regarde alentour. Arpentant la cour, M. Berne lui tourne le dos. Alors il dévale les marches et court vers les troènes. Il s'y glisse, suit le grillage, et quand il a atteint l'endroit où elle est apparue, il s'assied et attend. Peu à peu, sans bien s'en rendre compte, il s'éloigne à nouveau de l'école.

Quand là-bas le sifflet annonce la fin de la récré, il comprend qu'elle ne viendra pas. Et il se sent au bord des larmes.

5

Marc sort de chez lui en sifflotant. Ce matin, en se levant, il a vu par la fenêtre des arbres balancer haut leurs branches ; a pensé à la petite fille. Et soudain, a eu besoin de Jeanne.

Par-dessus son bol, il regarde sa mère et lui dit :

— Aujourd'hui je vais voir Jeanne.

— Fais attention en traversant, répond seulement sa mère.

Jeanne n'habite pas très loin. Jeanne. Sa nounou. Voilà si longtemps qu'il n'est pas retourné la voir...

Il tourne à l'angle de la rue et, bientôt,

aperçoit le petit immeuble blanc. Son cœur se serre. Il s'arrête, regarde ce bloc nu, sans arbre ni barrière, entouré de troènes comme l'école. Il reprend sa marche, pousse la porte de verre d'un geste aussi vif qu'autrefois, pour pousser la barrière du jardin. Dans sa paume une seconde, il sent son bois rugueux. Alors dans cette seconde, il se souvient : il poussait, et la barrière s'ouvrait sur un vaste horizon de lumière...

Soudain, contre sa main, il sent le froid du verre qui glisse. La porte emprisonne son image. Elle s'ouvre sur une entrée obscure. Il se revoit entrer en trombe dans la maison des arbres, hurlant :

— C'est moi !

Ou bien, avant d'entrer, il approchait sans bruit, jetait un œil par la fenêtre et guettait Jeanne. Il suivait ses gestes, le rire aux lèvres, puis frappait au carreau. Jeanne se retournait. C'est le moment qu'il préférait : une seconde, la surprise illuminait ses yeux de plaisir. Marc courait se jeter dans ses bras en riant.

Les bras de Jeanne !... Là, dans l'entrée, il n'y a pas de fenêtre pour jouer avec Jeanne. Juste des boîtes au mur avec des noms dessus. L'une d'elles porte celui de Jeanne.

Au premier il hésite devant les deux portes

identiques. Respirant un grand coup il frappe trois coups timides sur celle de droite. À l'intérieur, c'est le silence. Puis des pas légers se rapprochent. La porte s'ouvre... Jeanne est là ! Devant lui ! Dans ses yeux, peu à peu une lumière vient, vacillante comme une larme. Marc attend le sourire, et se jette alors dans ses bras.

Assis à la table, il la regarde préparer le repas. Dans ses gestes il y a la douceur qu'il aime tant. Puis, chaque fois qu'elle le regarde elle sourit. Pourtant Marc est inquiet. Quand Jeanne s'affaire, il voit luire dans ses yeux une flamme sombre. Parfois aussi, elle sursaute sans raison.

Ce matin, en entrant, il a découvert les murs vides. Comme si Jeanne venait de s'installer. Et en regardant autour de lui, il n'a rien retrouvé des objets de la maison. Il a raconté l'école, les copains. Jeanne, elle, n'a rien dit, comme si dans sa vie, il ne se passait rien. C'est vrai qu'ici, quelque chose manque qui fait que Marc vient si peu la voir. Au début, il avait cru que c'était le jardin qui manquait. Avant, par les fenêtres, le regard s'évadait loin, jusqu'aux grands arbres au bout du pré, montant dans le ciel immense puis redescendant avec lui jusqu'au point où

il se frottait à la terre au-delà du feuillage. Mais plus que le jardin, dans le petit appartement de Jeanne, ce qui manque c'est la lumière. C'est vrai qu'ici, on se cogne aux portes closes tout le long du couloir. Ici, Marc ne connaît que la cuisine. Dans la maison d'avant, les portes étaient toujours ouvertes au point qu'on passait du dedans au dehors sans presque s'en apercevoir.

C'était cela, aussi, qui avait tant pesé à Marc les premiers jours d'école. Sans cesse il ouvrait la porte, voulait sortir. Jusqu'à cogner dessus, si fort que ce jour-là, on l'avait conduit à l'infirmerie. C'était blanc ; très blanc, pâle et très froid. Il avait eu très peur.

Dans l'appartement, il retrouve ces peurs-là. L'après-midi, en quittant Jeanne, il est inquiet.

Quand il s'endort, le soir, il songe encore au vide dans la maison de Jeanne. Un instant il la revoit courbée sous les grands arbres en plein soleil. Vient aussitôt, couvrant celle-ci, une autre image : celle de la petite fille aux cheveux clairs...

6

Accroupi au milieu de la cour, les yeux rivés au sol, Marc se concentre.

— Allez, tire ! dit Yann.

Marc lance sa bille.

— Yaouh ! crie Yann. Ben mon vieux, tu vas toutes me les gagner !

Marc sourit et se relève. Ce matin, pendant la classe, il a été très attentif. Il a travaillé vite, et même, lui qui participe si rarement, il a levé le doigt ! Au point que M. Berne l'a félicité ! C'est comme s'il avait retrouvé l'école, et enfoui ses souvenirs bien profond. D'avoir vu Jeanne l'apaise. Et puis il y a

Yann, qu'il avait planté là l'autre jour pour courir au grillage et qui l'avait grondé.

Yann sourit, à présent. Il crie :

— Eh ! T'as vu ? Je l'ai touchée !

Marc bat des mains. Il s'accroupit à nouveau pour viser. Pourtant, en se baissant, il ne peut s'empêcher de jeter un œil vers les troènes. Là-bas, bien sûr, il n'y a rien. Il reporte son attention sur les billes.

— Gagné ! crie-t-il en regardant Yann.

Yann le bourre de coups de poing en riant.

Le sifflet résonne. Suivant Yann vers le rang, Marc se retourne une seconde. Là-bas, près du bois, il n'y a personne. Pourtant, à l'instant où ses yeux passent sur le buisson le plus proche, une tache claire apparaît. Marc frémit.

— Alors Marc, on se presse ?

Marc se glisse près de Yann dans le rang.

Après la cantine, il rate tous ses coups aux billes. Il tourne sans cesse la tête vers le terrain de sport. Aucune tache claire n'apparaît plus.

— Dis donc, lance Annie, t'as vu une fée ou quoi ?

Marc rougit et, très vite, baisse les yeux sur le jeu. Dans sa tête court un orage. Pourquoi n'est-elle pas là ? Et d'abord, pourquoi est-elle venue ce matin, alors qu'il jouait bien tranquille et qu'il n'y pensait plus ? Mais aussi, cette tache claire, était-ce bien elle ?

Il lance sa bille à toute volée et rate.

— Eh ben, dit Yann, moqueur, quelle énergie !

Marc le fusille du regard. La récré se termine sans qu'aucune tache claire n'ait paru.

L'après-midi semble interminable. Dès que sonne la récré Marc est le premier dehors. Il scrute la rangée de troènes, les buissons dans le petit bois. Son cœur bondit : à nouveau, la tache est là ! Sans réfléchir il fonce vers l'escalier.

— Eh là, où vas-tu ? s'exclame derrière lui M. Berne.

Marc se retourne.

— Aux toilettes, m'sieur.

— Bon. Mais pas si vite, hein ?

Marc repart d'un pas qu'il s'efforce de rendre lent. Inquiet, il jette un œil vers le bois. La tache est toujours là. Arrivé au petit bâtiment des toilettes, il se retourne. M. Berne ne le regarde plus. Alors il dévale l'escalier, longe le terrain à l'abri de la butte et disparaît sous le premier troène. Puis il suit le grillage. Plus il approche, plus son cœur bat fort. Il ne sait plus très bien l'endroit exact. Et si déjà, elle était repartie ? Il fouille des yeux le petit bois et soudain il la voit ! Et elle le regarde approcher avec des yeux craintifs. Des yeux bruns, remarque-t-il.

Intimidé, il ralentit l'allure.

Il est immobile à présent, face à elle qui ne bouge pas plus. Il est très mal à l'aise. Soudain il est trop proche, veut reculer, n'ose pas à cause du maître. Alors il attend, rougissant de plus en plus. Enfin elle avance. Ses cheveux lui frôlent à nouveau le visage. Elle sourit. Marc entend :

— Qu'est-ce que tu fais là ?

Il est surpris. Ses lèvres ont à peine bougé. À sa voix si faible il comprend soudain qu'elle aussi a très peur. Il se sent venir un peu de courage.

— Ben, je suis à l'école... Et toi ?

— Moi ?... Moi je regarde.

— Mais... Tu regardes quoi ?

— Ben... L'école !... C'est quoi l'école ?

Marc l'a sentie hésiter. Soudain il est sûr qu'elle se moque. L'école ! Tout le monde sait ce que c'est ! Il la regarde attentivement mais ne la voit pas rire. Dans ses yeux toujours inquiets perce un éclat sombre, comme la veille au fond des yeux de Jeanne.

Et soudain, il revoit le jour de sa première rentrée. Il se revoit devant la grille, devant la cour et le bâtiment gris. Accroché à la main de son père il avait demandé :
— C'est où, l'école ?
d'une voix si petite que son père n'avait pas répondu.

Il regarde Sarah d'un œil nouveau. Il comprend mieux sa peur, tend le bras vers la cour et répond :
— L'école, c'est ça.

Puis il hésite et reprend, pointant son doigt vers les classes :
— Ou plutôt ça !... Enfin tout ça, quoi ! conclut-il en balayant de la main tout l'espace derrière lui.

Il se sent maladroit. Ce n'est pas ça qu'il faudrait dire. Le silence s'installe, où se glisse le long bruissement des feuilles se frottant les unes aux autres. Marc voit l'éclat noir s'éteindre dans les yeux de l'enfant. Il se sent mieux. Peut-être qu'après tout ses mots ressemblent à ceux qu'il fallait dire...

À nouveau elle questionne :
— Et qu'est-ce que tu fais, dans l'école ?
— Une école, c'est là où on apprend.

Ça, il sait. On le lui a assez dit. « Une école, Marc, c'est là où on apprend ! »

— Et... On apprend quoi ?
— Ben... Tout ! À compter, à lire... et puis des histoires, répond Marc qui commence à s'énerver. Et toi, enchaîne-t-il vite, ton école elle est où ?
— Mon école..., murmure-t-elle, pensive.
Et soudain son visage s'éclaire et elle lance :
— Mon école, c'est ça !
Et du même geste que Marc a fait pour montrer l'espace qu'entoure le grillage, elle balaye les champs, les bois jusqu'au ciel avec un sourire magnifique ! Marc est surpris. Ce qu'elle montre est tellement plus vaste ! Soudain il a envie de passer de l'autre côté du grillage...
À nouveau Sarah questionne :
— Et ça, c'est quoi ?
Son doigt passe à travers le grillage et frôle la joue de Marc. Il se sent rougir, tourne la tête vers ce qu'elle montre.
— Ça ? C'est une cage à poules.
— Et les poules, elles sont où ?
— C'est pas pour des vraies poules.
— Alors, pourquoi c'est une cage à poules ?
— Ben, je sais pas. Ça s'appelle comme ça. C'est pour les enfants, pour jouer. On grimpe dessus et on saute. ou bien on se promène

dedans. C'est... comme une maison vide...

Les yeux de Sarah s'assombrissent.

— C'est pas drôle, une maison vide, murmure-t-elle entre ses dents.

— Oui mais c'est pour rire. Ou... comme un château, tiens ! Un château attaqué par l'ennemi. Ou... comme une grosse tête vide avec des gros yeux, une tête qui rêve...

— Comme Pluche ?

— C'est qui, Pluche ?

Mais déjà, Sarah montre autre chose : la pile de troncs couchés.

— Et là, lance-t-elle en souriant, là ce serait... une montagne magique !

— Ou bien... un grand serpent méchant !

— Ou bien... un pont sur un torrent !

— Ou bien... le corps d'un géant qui aurait perdu la tête !

— Le corps de Théodule !

— C'est qui, Théodule ?

— Théodule ? Théodule... Théodule il n'a que sa tête ! lâche Sarah.

Et elle éclate de rire. Marc rit aussi, fort, très fort, comme jamais encore il n'a ri à l'école !

Le sifflet retentit. Marc devient grave.

— Qu'est-ce qu'il y a ? demande Sarah.

— Il faut que j'y aille.

— Où ça ?
— Là-haut. En classe.
— Je... Je peux venir ?
Marc dit d'une petite voix :
— C'est pas possible.
Une ombre passe dans les yeux de Sarah.
— Demain... demain à 10 heures, je serai là, dit Marc.

Et il s'éloigne en longeant le grillage. Sarah le regarde disparaître et sent dans son ventre un grand vide. Il réapparaît, souffle :
— C'est quoi ton nom ?
— Sarah.
— Sarah, répète-t-il lentement, comme pour apprendre. Sarah !

Il la fixe, sourit très tendrement et à nouveau s'en va. Alors, Sarah se glisse derrière le buisson et elle grimpe sur une souche. De là, elle aperçoit Marc qui longe la butte, grimpe l'escalier, se cache derrière un petit bâtiment. Il s'en détache lentement et marche vers les enfants alignés au pied du grand mur gris. Quand le rang s'ébranle, il se retourne. Elle pense que de là-bas, il ne peut la voir, pourtant elle lève la main en signe d'au revoir. Puis elle s'enfonce dans le bois, emportant avec elle une image douce : le sourire qu'il a eu en prononçant son nom.

En revenant, cet après-midi-là, Sarah s'assied à la lisière du bois. Là, dans l'ombre douce elle regarde longtemps les grands arbres, puis elle ferme les yeux. Alors, il lui semble que dans leur murmure, il y a des mots. Elle tend l'oreille mais ne les comprend pas. En se levant pourtant, elle est sûre à présent que les grands arbres commencent à lui parler.

Elle traverse le pré. Un soleil coule dans sa poitrine. Ses yeux se posent sur la maison, cherchent sa mère. Dehors il n'y a personne. Elle entre et voit Amande assise dans la grande pièce. Elle avance dans l'entrée, pose une main sur le gros œil de Théodule, avance encore, frôle la plume du hibou ; sa main s'immobilise dans les plis du grand voile de Pluche, et elle murmure :

— Maman, je voudrais aller à l'école.

Dehors, la pluie se met à tomber.

7

L'école !

Allongée dans la pénombre, Amande se tourne vers la fenêtre comme elle fait quand le sommeil tarde à venir. Un halo blanc nimbe le bois des volets. Dès qu'elle le voit, elle se souvient.

Le premier objet était raté. C'était le hibou. C'est ainsi que Sarah l'avait baptisé. Bien sûr, qu'il était raté ! Comment aurait-elle pu le réussir ?

C'était le premier, du jour où pour la première fois, dans le silence du matin, elle avait vu le halo blanc frotter le bois tandis qu'au-dehors, la grille grinçait très doucement. Sans se lever elle avait su.

Les yeux fixés sur les volets elle avait attendu le jour. Quand il était venu, que dans sa chambre, Sarah s'était mise à pleurer, elle s'était levée et avait fait, la tête vide, les mêmes gestes qu'à l'ordinaire.

Enfin, pendant la sieste de Sarah, à l'heure où ils se retrouvaient tous deux sous l'unique arbre de la maison, s'y trouvant seule, avec la douceur de l'ombre plein le visage, toute la peine refoulée avait afflué tout à coup. Soudain elle avait su qu'il ne serait plus là. Simplement parce que malgré la maison, la douceur d'ombres l'après-midi, parce que malgré Sarah il avait besoin d'autre chose.

Ce jour-là, noyant l'herbe sous son chagrin, s'étonnant que la terre sèche ensuite si vite, elle avait pris le morceau de racine qui traînait contre l'arbre, et à chaque branche elle avait mis une coquille blanche, un œil vide, sans regard, tournant sans fin sur lui-même.

Quand ses larmes avaient séché, elle avait vu la plume. Petite et blanche, toute frissonnante. Quand elle l'avait saisie, elle avait senti revenir dans sa main une douceur, un goût de vie. Sans réfléchir elle l'avait posée là où les deux branches se séparaient.

— C'est sa moustache, avait dit Sarah bien plus tard.

Alors seulement, elle s'était souvenue qu'il en avait une...

Avec ce mot, « l'école », dit si bas, tout était revenu. Et elle était presque étonnée que ce soit encore si dur, presque autant qu'au premier jour.

L'école ! L'école où Sarah n'allait pas ! Ici,

dans le silence de la maison, on n'en parlait pas. On n'en avait jamais parlé. Soudain, Amande en était étonnée.

Pourtant, au fond d'elle elle savait : franchir la grille et marcher dans la cour, et puis passer la porte et entrer dans la classe, c'était encore marcher vers lui. Lui qui chaque jour, autrefois, passait entre les tables, courbé sur les cahiers avec ce grand regard attentif et serein qu'elle aimait tant. Car il était instituteur... Elle revoit les enfants courir vers lui, poser un baiser sur sa joue et puis s'enfuir après la classe ; et elle se rappelle tout à coup combien sa joue était douce...

Elle n'a plus la force ; la force de passer la grille, de traverser la cour d'une école, et voir qu'il n'est pas là ! Alors l'école... De quelle école parlait Sarah ?

Elle se lève, sort à tâtons de sa chambre, traverse la salle silencieuse, décroche son chapeau noir et le met sur sa tête pour mieux se fondre dans la nuit. Puis elle sort et s'en va dans le bois. Et elle marche longtemps, ignorant qu'elle avance dans les pas de Sarah.

*
**

Ce soir-là, couchée dans le noir, Sarah se sent glisser dans le sommeil. Elle pense au visage du garçon, joue à deviner son nom. Il doit être tendre, autant que son sourire quand il a dit son nom à elle.

Depuis son père, c'est la première personne à le prononcer lentement ; à le rendre si doux. Ce soir, en se laissant porter vers le sommeil, Sarah se sent bien.

Pourtant, alors qu'elle va s'endormir tout à fait, quelque chose en elle s'inquiète et elle rouvre les yeux. Elle voit aussitôt le regard de sa mère quand elle a demandé l'école. D'abord elle n'a pas bougé et Sarah a su tout de suite que c'était une question difficile. Puis sa mère s'est tournée vers elle, et dans ses yeux, pour la première fois, Sarah a vu quelque chose qu'elle n'y avait jamais vu : un grand cri muet qui s'est tu peu à peu. Et pour la première fois, elle a eu envie de prendre sa mère dans ses bras et de la bercer, comme une toute petite fille. Elle n'a pas bougé. C'est sa mère qui s'est levée. Elle s'est approchée de Sarah, a mis la main dans ses cheveux et les a caressés longuement. Sarah, immobile, a fermé les yeux, et elle s'est souvenue.

Il y a longtemps, sous l'arbre du jardin, quand les yeux de sa mère étaient si clairs, souvent elle posait ses longs doigts dans ses cheveux et elle les caressait. Soudain, sa mère retrouvait ce geste ancien. Et Sarah découvrait tout à coup combien ce geste lui avait manqué.

Dans son lit, elle sent les larmes gonfler sa poitrine. Elle va dans le couloir et grimpe l'escalier qui conduit au grenier.

Là-haut, dans la pénombre, le grand miroir semble l'attendre. Elle se regarde, sent les larmes hésiter dans son ventre, et quand enfin, la première se forme au coin de son œil, elle s'assied et écoute.

« *Là-bas, disait-il, tout au fond de son petit lit blanc, une petite fille ne pouvait s'endormir. Alors elle se leva, sortit sans bruit de la maison, mit son grand chapeau noir et partit vers le bois. Et elle marcha longtemps, très longtemps, cherchant le sommeil...*

« *Mais ce soir-là, le sommeil s'était caché pour ne pas qu'on le trouve. Car le sommeil voulait jouer tranquille. Il en avait assez de glisser sur tant de visages et d'abriter tant de rêves que ça finissait par lui faire un gros ventre !*

« *Cette nuit, le sommeil avait décidé de rester mince, de vivre sa nuit tout seul, de se promener dans les arbres et qui sait ? de se faire un petit rêve bien à lui...* »

Sarah entend à nouveau le grand rire de son père ; et puis son rire à elle. Dans le miroir elle voit la larme posée sur sa joue ; arrêtée en chemin.

« ... *Et la petite fille au chapeau noir avait beau chercher le sommeil au fond du bois, elle ne le trouvait pas. Alors, ne sachant que faire elle s'assit contre un arbre et attendit.*

« *Pendant ce temps, le sommeil voletait d'arbre en arbre, tout content de sentir les feuilles lui chatouiller le dos, et tout en avançant, il essayait de faire un rêve. Seulement voilà ! Le sommeil ne savait pas rêver tout seul ! Il avait beau se raconter des tas d'histoires de rêves, son rêve à lui ne venait pas. Soudain il se sentit triste, et alla se poser sur un arbre. Et là, il se sentit tout seul.*

« *C'est alors qu'il vit au pied de l'arbre la petite fille au grand chapeau et aux yeux... grands ouverts ! Il descendit sans bruit le long des branches, et vint se poser sur le bord du chapeau, et doucement, glissa sur les paupières de la fillette et ses yeux se fermèrent.*

« *Et cette nuit-là, contre l'arbre du petit bois, la petite fille et le sommeil firent ensemble un grand rêve ; le plus beau qu'ils aient jamais fait...* »

Cette nuit-là, lorsque Amande rentre pour se coucher, elle ignore qu'au-dessus de sa tête, devant le grand miroir, Sarah réinvente la voix de son père…

8

Le lendemain, quand elle s'éveille, la première chose que voit Sarah, c'est son image dans le miroir. Elle redescend vite dans sa chambre et va se recoucher, quand elle se rappelle tout à coup : 10 heures ! Le grillage !

Aussitôt elle s'habille et descend. Dans la cuisine, tournée vers la fenêtre, sa mère prépare le déjeuner. Sarah se glisse sur sa chaise, vide son bol puis se lève et va vers la porte. Au moment où elle la franchit, elle entend :

— Où vas-tu ?

Elle sursaute, se retourne. Depuis des

années, jamais sa mère ne lui demande où elle va. Aujourd'hui, debout devant l'évier, elle la regarde en essayant de ne pas l'effrayer. Sarah ne sait que dire. Alors que tous ces jours où on ne lui demandait rien, elle aurait tant aimé parler du bois, du pré tendre et des grands arbres, aujourd'hui qu'on la questionne elle aimerait ne rien dire ; peut-être parce que la veille, elle a senti chez sa mère une peur si grande qu'elle n'ose plus poser de questions.

Et pour la première fois, sa mère demande. Sarah murmure enfin :

— Je vais dans le bois.

Aussitôt elle se sent rougir. Pourtant sa mère sourit. Peut-être qu'elle la croit. Sarah sent qu'elle a honte. Elle voudrait raconter. Mais quels mots, pour éviter que la tristesse envahisse le regard de sa mère ? Soudain elle demande :

— Maman, quelle heure il est ?

Amande lève le bras, regarde son poignet... Sa main s'immobilise et ses doigts tremblent. Elle découvre que depuis des années elle n'a plus d'heure. Elle regarde Sarah, les yeux perdus. Très vite Sarah dit :

— Pas encore 10 heures, hein ?

Le sourire revient sur les lèvres de sa mère.

— Non, pas 10 heures. Allez va !

Et Sarah quitte enfin la maison.

Quand elle arrive, tout est plongé dans le silence. On croirait un désert… Et si sa mère s'était trompée ? Si 10 heures, c'était déjà passé ? Inquiète, elle va s'asseoir sur la souche à l'abri du buisson et elle attend.

9

Ce matin, en passant la grille de l'école, Marc se sent heureux. Pour la première fois il attend quelque chose d'important : une rencontre. La rencontre avec Sarah. La troisième !

— Déjà trois, songe-t-il en souriant.

Et la matinée file. Et vient l'heure de sortir. Marc tremble un peu tandis qu'il descend l'escalier vers la cour. En bas, son premier regard est pour le petit bois qui vient jusqu'au grillage. Il ne voit rien. Aucune tache claire. Aucun visage. Pourtant, il est sûr qu'elle sera là ! Jetant un œil vers M. Berne il fonce vers le petit bâtiment qui abrite les toilettes, jette encore un regard derrière lui puis il dévale les marches. Dès qu'il se glisse sous les troènes, comme chaque fois il se sent redevenir petit. Il longe le grillage, laisse sa main glisser dessus. Il ralentit. Cette fois, il a reconnu le buisson. Pourtant il n'y a personne. Il sent venir une pointe d'inquiétude, appelle :

— Sarah !...

Aussitôt elle apparaît ! Ses yeux sont lumineux à force de sourire. En s'approchant, Marc sent qu'il sourit aussi fort. Elle est bien là ! Il en était sûr ! Ce qu'il ignore, c'est que depuis deux heures, elle est au rendez-vous ! Depuis deux heures, assise sur la souche, elle attend, inquiète, ignorant tout de l'heure. Et il est là. Et puis, autre chose la rassure. Elle demande :

— Il est 10 heures ?

— Oui, il est 10 heures. 10 heures, c'est la récré.

Sa mère ne s'est donc pas trompée ! C'est cela, aussi, qui la rassure ! Que sa mère sache encore remettre le temps en route ! Elle a envie de sauter, d'embrasser Marc... Elle ne bouge pas, demande seulement :

— C'est quoi, la récré ?

À nouveau Marc est surpris. Chaque

réponse qu'il fait à Sarah amène une autre question sur l'école. Et cherchant les réponses, Marc découvre peu à peu qu'il ne sait pas vraiment. L'idée le frôle qu'il pourrait être ailleurs...

— La récré, commence-t-il en s'asseyant, c'est après la lecture et les maths. On descend dans la cour, là-bas, là où il y a les jeux, et on peut faire ce qu'on veut ; jouer à la cage aux poules, aux billes, à chat ; se raconter des histoires...

— Et... venir ici, aussi ?

Marc hésite.
— Non. Ça on n'a pas le droit. On doit rester dans la cour.
— Alors... Tu vas te faire gronder ?
— Non, dit Marc très vite. Non. Là je suis bien caché. Et puis, ajoute-t-il plus doucement, je suis déjà venu là souvent. Je connais le truc pour qu'on me voie pas.

Pourtant Sarah voit s'effacer le sourire de Marc. Vite, elle demande :
— Et... la lecture, c'est comment ?
— La lecture ? répète Marc. La lecture c'est... apprendre à lire des mots dans des livres.

Sarah fronce les sourcils. Dans son grenier, il y a des livres. Parfois, elle en a pris un au hasard pour regarder dedans. Très vite elle s'ennuyait devant ces lignes auxquelles elle ne comprenait rien.
— À quoi ça sert de lire dans les livres ?
— Ça raconte des histoires.

Des histoires ! Sarah hausse les épaules. Les seules histoires qu'elle connaisse, ce sont celles qui reviennent devant le grand miroir ; les histoires de son père.
— Des histoires ? Quelles histoires ?
— Des histoires de tout, dit Marc. De chien, de chat, d'enfant. Ce matin l'histoire qu'on

lisait c'était celle d'un enfant qui vivait dans un autre pays, très loin. Là-bas, pour aller à l'école il faut marcher longtemps, très longtemps, parce qu'il n'y a pas beaucoup d'écoles dans ce pays-là.

Sarah s'assied.

— Alors l'enfant, qui s'appelle Mahoud, part très tôt le matin avec ses cahiers et ses livres. Il traverse d'abord un grand champ. Et ensuite il doit encore traverser un bois...

En l'écoutant Sarah sourit. Elle songe au champ de la maison, bordé d'arbres murmurants ; elle songe au petit bois.

— ... Après le bois il y a une route. L'école est là. Et un jour, en traversant le bois, Mahoud voit un lion énorme en travers du chemin.

— Alors ? demande Sarah.

— Alors après je sais pas.

— Tu sais pas ? Comment ça tu sais pas ?

— Ben non, je sais pas. La suite, c'est la lecture de demain.

Marc voit Sarah déçue. Alors il dit :

— Après la lecture, on fait les maths. On apprend à compter.

— À compter quoi ? demande Sarah.

— Eh ben tout. Les jetons rouges, les bleus,

les jaunes. La longueur de la barrière pour empêcher les chevaux de sortir…

— Les chevaux ? Quels chevaux ?

— Pas des vrais chevaux, les chevaux du problème. Aujourd'hui par exemple, il fallait trouver combien de piquets il faut planter pour mettre une corde autour d'un champ en en mettant un tous les trois mètres. Et le champ, il faisait trente mètres de long sur quinze mètres de large. Ça, c'était le problème d'aujourd'hui.

— Et… le grillage ? demande Sarah. Combien il fait de long ?

Marc la regarde, hésite et dit :

— Je sais pas… Il fait tout le tour de l'école. Jusqu'à la grille.

— Et… Tu peux sortir ?

— Bien sûr. Après l'école.

— Oui, mais là par exemple ?

— Là, non.

— Pourquoi ?

— Ben… Parce que l'école est pas finie.

— Alors t'es en prison ?

— Non… Mais faut que j'apprenne… Que j'apprenne pour plus tard…

Soudain Marc se sent drôle. À force de questions, il ne sait plus du tout ce qu'il fait là.

— Moi aussi, dit Sarah, je sais des choses. Ce matin, quand je suis passée près du noisetier, j'ai vu qu'il avait fait de nouvelles feuilles, toutes petites. Bientôt il sera tout couvert de noisettes. Les noisettes c'est très bon, tout vert autour et blanc à l'intérieur. Tu en manges, des noisettes ?

— Des fois, quand ma mère en achète. Mais c'est pas blanc ; ni vert ; c'est marron et c'est dur.

— Ah ! C'est parce qu'elles sont sèches. Quand on attend et qu'elles sèchent, elles prennent un autre goût. C'est bon aussi, mais c'est pas pareil.

— Le noisetier, demande Marc, c'est l'arbre à noisettes ?

— Bien sûr. L'arbre où elles poussent.

— Et... Il est où ?

— Là-bas, dit Sarah. Dans le bois, du côté de chez moi.

— Et... C'est loin, du côté de chez toi ?

Sarah rit.

— Non, c'est tout près. Juste après le bois. Mais tu sais, il n'y a pas que le noisetier. À côté il y a un chêne, et dedans il y a encore un nid.

— Un nid d'oiseaux ?

— Oui. Cet été il y a eu des petits. Maintenant il est vide.

Tout à coup les mots de Sarah ouvrent un sillon au souvenir : une année, dans le jardin de Jeanne, il y avait eu un nid. Jeanne lui avait montré la mère, lui avait expliqué comment elle le tissait. Puis un matin, il y avait eu des petits. Marc avait vu la mère les nourrir. Tout ça, il s'en souvient soudain avec un plaisir infini. Mais il dit seulement :

— Ah oui, le maître en a parlé.

Alors, le sifflet retentit.

— Il faut que j'y aille.

Sarah murmure :

— Tu es obligé ?

— Ben oui, dit Marc, et il baisse les yeux.

Il voudrait rester là, tout contre le grillage à écouter Sarah. Parce que ce qu'elle raconte lui parle un peu de Jeanne, d'un temps qu'il croyait mort. Il demande, hésitant :

— Demain, tu reviens ?

— À 10 heures ?

— Oui, à 10 heures.

— D'accord, je viendrai.

Sarah attend un peu, puis s'enfonce sous les arbres.

En montant vers la cour, Marc se sent triste. Demain, c'est loin. Il aurait voulu qu'elle vienne l'après-midi mais n'a pas osé demander. Quand il se détache du petit bâtiment des toilettes, le rang déjà formé s'apprête à partir. Marc s'en approche. M. Berne le regarde avancer. Marc prend peur, ralentit le pas, rentre la tête dans les épaules, sûr de se faire gronder. M. Berne ouvre la bouche, comme pour parler, puis s'éloigne sans un mot. Avant qu'il se détourne, Marc voit ses yeux s'adoucir brusquement. Il se dit qu'il a rêvé...

— Eh ben, souffle Yann, où t'étais passé pendant toute la récré ?

— Par là, dit Marc avec un geste vague.

Revenant vers la maison, Sarah repense à tout ce qu'a dit Marc, à tout ce qu'il apprend dans le bâtiment gris. Et tous ces mots lui tournent un peu la tête, comme une chanson mystérieuse qu'elle a soudain envie d'apprendre. Et puis, elle pense à l'histoire de Mahoud. Et si elle allait voir un lion, là, dans le petit bois ? Un instant elle frémit, et aussitôt éclate de rire. Et elle se demande : lui, Mahoud, que va-t-il faire face au lion ? Demain, elle saura !

« Oui mais demain, songe-t-elle, demain c'est loin... »

En arrivant elle va dans la grande pièce mais n'y trouve pas sa mère. Surprise, elle entre dans la cuisine et s'arrête sur le seuil. Penchée vers la table, Amande pétrit une pâte jaune tendre, un demi-sourire sur les lèvres. Immobile, Sarah suit ses gestes des yeux. Les longs doigts blancs font rouler la boule claire un peu comme ils font tourner les objets dans l'ombre de la pièce. Mais ici, la lumière est plus vive et le geste plus sûr. Ici, les grands doigts n'hésitent pas. Ils modèlent d'un mouvement régulier. Et puis, tout au bout de ce geste, il y a un objet qui se mange !... Amande lève les yeux. Elle voit Sarah qui la regarde et dit :

— Entre, Sarah, ça va être prêt !

10

Après la cantine, Marc est dans la cour et déjà quelque chose manque. Et puis l'après-midi commence, si lent qu'on croirait que le temps n'avance pas. À la récré il n'y tient plus, file sous les troènes. Là, dans le frais de l'ombre il rêve à de nouvelles images : au noisetier, au nid caché au creux du chêne, à ce sourire très doux qu'a Sarah quand elle en parle... Et tout à coup, il songe que demain c'est mercredi ! Demain il n'y a pas école. Ils n'y ont pas pensé ! Un grand vide creuse sa poitrine. Quand le sifflet retentit, bien sûr elle n'est toujours pas là.

Après le repas Sarah rejoint sa mère dans la grande pièce. Amande a retrouvé sa place, ses gestes lents. Elle fait tourner dans ses doigts blancs des morceaux de racine. Immobile, Sarah sent une foule de questions se presser dans sa tête ; des questions auxquelles sa mère ne répondra pas. Or tout à coup, elle a besoin de réponses à ce silence, à la pénombre ; et sait qui peut les lui donner. Elle veut filer vers le grillage, vers le garçon... Dès qu'elle esquisse un geste, la peur afflue dans les yeux de sa mère. Alors elle dit très vite :

— Je monte.

Aussi vite, les yeux d'Amande redeviennent clairs. Dès qu'elle commence à gravir l'escalier, Sarah regrette. Là-haut le grand miroir ne peut plus lui donner ce qu'elle cherche ; car les histoires qu'elle veut ne sont plus celles qu'il lui raconte. Quand elle arrive, un peu tremblante, la seule chose qu'il lui montre, ce sont ses yeux très noirs. Alors elle va vers la lucarne, l'ouvre en grand, et se hissant sur la pointe des pieds, elle tend l'oreille pour entendre le bruissement des grands arbres qu'elle ne peut voir. Au-delà d'eux, sans qu'elle le sache, un enfant l'attend...

*
**

Quand Marc voit le rectangle blanc, pour une fois il sourit. Ce matin en s'éveillant il a eu besoin de voir Jeanne. Hier, Sarah n'est pas venue. Et aujourd'hui il n'y a pas classe. Ce matin, sans bien savoir pourquoi il a besoin de Jeanne.

Pour la première fois, devant la porte il n'hésite pas, comme si tout à coup le chemin qui mène à elle redevenait facile.

Et elle est là, assise. Et elle ne le quitte pas des yeux. Elle sent qu'il a à dire quelque chose d'important, espère qu'il va parler. Parce que peut-être que ses mots vont réveiller ces pièces obscures et nues où elle se sent mourir. Lui, face à elle, ne peut rien dire. N'a pas la force. Parce qu'il ne retrouve pas la Jeanne d'avant.

Vient le moment de repartir. Marc se lève. Jeanne le regarde avec des yeux qui tremblent. Et tout à coup il voit le chapeau jaune, grand soleil oublié sur le mur. Les images se refont : le pré soyeux s'étendant loin, les grands arbres touchant le ciel, Jeanne,

debout, regardant son monde avec des yeux sereins... Marc se rassied, murmure :
— J'ai rencontré une petite buissonnière...

Ce matin Sarah s'est levée tôt et elle est partie vers le bois. Là où peu de temps avant, elle parcourait des chemins neufs, pour elle à présent il n'y en a plus qu'un, qu'elle connaît de mieux en mieux : celui qui la mène au grillage et à Marc. Tout le long du chemin elle pense à l'histoire de Mahoud et du lion. Au passage elle regarde le noisetier. Il a perdu trois feuilles. C'est qu'elle aussi veut raconter à Marc la suite de ses histoires !

À mesure qu'elle approche, son cœur bat plus vite. C'est qu'elle n'entend que le silence. S'est-elle trompée d'heure comme hier ? Elle s'est pourtant pressée au point d'oublier sa tartine !

Comme la veille, elle attend. Le silence se prolonge. Sarah maudit les montres mortes, celle qui les a laissées mourir. Pour la première fois, elle maudit sa mère.

Quand elle retraverse le bois, elle est sûre que le lion va l'avaler.

*
* *

— Une petite buissonnière…

Assise dans la cuisine, Jeanne répète après Marc. Même si elle ne les comprend pas, elle sait que ce sont ces mots-là qui attendaient d'être dits. Hésitante, elle demande :

— Buissonnière, c'est parce qu'elle ne va pas à l'école ?

Marc est surpris.

— Non, buissonnière, c'est parce qu'elle apparaît toujours dans les buissons… Les buissons, c'est son coin. Mais elle ne va pas à l'école non plus ; alors, je lui raconte les livres de lecture…

Marc attend, anxieux. Jeanne sait que l'essentiel est dit. Pourtant elle ne sait pas pourquoi c'est aussi important. Elle cherche. Et tout à coup quelque chose lui revient en mémoire.

— Moi aussi, autrefois, je racontais les histoires des livres à quelqu'un. Tu te souviens ?

Sans attendre elle ajoute :

— Il s'appelait Adrien… Adrien. C'était comme quelqu'un à qui j'aurais beaucoup rêvé, sans lui donner de visage. Et dès que je l'ai vu, j'ai pourtant su que c'était lui. C'était là-bas, près du grand portail. Il s'est arrêté, m'a regardée, et moi en le voyant, j'ai cru que je rêvais encore. J'ai haussé les épaules en souriant, et je me suis remise à couper le bois…

Jeanne regarde Marc, étonnée d'avoir tant parlé, de le pouvoir encore.

— Alors ? demande Marc.

— Alors, c'est quand il a parlé, que j'ai lâché la hache. J'ai cru que j'étais folle. Lui, souriait. J'ai vu qu'il savait ; parce que vois-tu, en souriant il avait dans les yeux la grande douceur, celle qu'on a seulement quand on rêve. Il s'est excusé quand même, et sa voix était grave ! Une vraie voix d'ogre, tu te rappelles ?

Marc sent que quelque chose cherche passage entre ses souvenirs… Non, il ne se souvient pas. Il prend peur…

— Il voulait un outil que je n'avais pas. Pourtant il est resté. Il est entré dans le jardin et est venu s'asseoir sans un mot sur le banc, là où tu te mettais toujours. Et il m'a regardée couper. Quand j'ai arrêté il s'est levé, a pris la hache et à son tour, il a coupé le bois. Et je me suis assise et à mon tour, j'ai regardé. On était comme deux enfants à Noël devant le grand sapin !

Elle rit comme autrefois.

— Et après ? demande Marc.

— Après il est revenu. Il t'a rencontré. Et même, il s'est battu avec toi pour s'asseoir sur le banc, tu te souviens ?

Non, il ne se souvient toujours pas, et il a de plus en plus peur. Sans répondre il demande :

— D'où il venait, Adrien ?

— Oh, de très loin ! D'un pays où les arbres et les fleurs n'étaient pas les mêmes. Il aimait parler des arbres, décrivait leurs formes, leurs couleurs. Il disait qu'ils étaient grands, si grands qu'ils touchaient le ciel. C'était idiot mais quand il le disait, j'y croyais.

L'histoire reprend comme un conte merveilleux, qui n'aurait pas vraiment eu lieu. Marc respire mieux. Pour l'instant, il veut croire encore que c'est une belle histoire ; parce que ça lui fait peur de découvrir qu'il ne se souvient pas, qu'au fond de sa mémoire il y a un blanc ; et parce qu'aussi, il a peur de se souvenir de ces jours où déjà, quelqu'un lui prenait Jeanne...

— Et vois-tu, il y avait toujours quelque chose qu'il ne connaissait pas. Il s'étonnait comme un enfant. Alors je lui expliquais comment les maisons étaient construites ici, comment on cultivait les champs. Ça, il ne savait pas. Mais quand il parlait des fleurs de son pays, je me sentais toute petite tant il en parlait bien, tant c'était grand, tant c'était beau...

Marc a refermé la porte sur une Jeanne radieuse. Il n'a pas eu besoin de dire « à bientôt ». Ils savent tous deux que Marc va revenir. Et tout à coup, en descendant l'escalier, c'est là qu'il se souvient. Quand il allait, petit, dans la maison de Jeanne et n'entrait pas tout de suite, bien sûr c'était parfois pour surprendre Jeanne. Mais c'est aussi parce qu'un jour, en entrant, il avait trouvé Adrien. Et après tant d'années, revoir la main d'Adrien posée sur celle de Jeanne lui serre encore le cœur. Depuis, quand il arrivait, il attendait qu'elle le voie ; qu'elle l'accueille.

Enfin il se souvient. Et ça ne le rassure pas.

*
* *

Marc parti, Jeanne est restée plongée dans le passé, surprise de tant de douceur retrouvée. C'est Adrien, qu'elle vient de retrouver. Presque sans y penser elle prend le chapeau jaune et le pose sur sa tête. Son regard tombe sur le miroir. Dedans, c'est elle d'avant, marchant dans le grand pré, celle du temps d'Adrien.

Elle suit le couloir, ouvre la porte et sort. Et pour la première fois, elle part se promener avec ce grand chapeau, tout au plaisir de le sentir peser très doux sur ses cheveux.

11

Les arbres ne disent plus un mot. Assise à la lisière du bois, Sarah les regarde.

— Peut-être qu'ils attendent que je parte pour se parler, pense-t-elle.

Pourtant elle ne bouge pas, guettant dans le feuillage l'esquisse d'un mouvement.

Ce matin, sitôt éveillée elle a failli courir vers ses habits… Et elle s'est rappelé tout à coup la longue attente, la veille, le fer du grillage si froid contre ses paumes à force de s'y cramponner. S'y cramponner. Ne pas tomber…

Et si aujourd'hui non plus, il n'était pas là ?

Si elle l'avait rêvé ? Lui, l'école, le grillage ?

Elle a remonté le drap jusqu'aux yeux et ne s'est pas levée. Pourtant, très vite elle a eu peur de ne pas le voir. Et si, quand même, il était là ?

Elle est enfin sortie du lit. Dans ses mains tout glissait tant elle s'agrippait au tissu. Sur les marches, ses pieds tremblaient.

Dehors, la lumière l'a surprise. Elle a traversé le champ à grands pas, s'est plantée face aux arbres, réclamant des histoires à grands cris silencieux. Quand le soleil atteint leur cime, elle est toujours assise et eux n'ont pas bougé. À l'instant où la peur est trop forte, où elle se lève pour aller vers l'école, Amande l'appelle. Son cri coupe l'élan de Sarah.

Dès qu'elle entre dans la pénombre, la peur revient. Les gestes de sa mère ont repris leur lenteur. Ses doigts touchent à nouveau les plats comme en rêve. Sarah ne peut rien avaler. Sitôt qu'Amande se lève, elle file dehors avant qu'on la rappelle.

Debout sur le seuil, Amande la regarde et ses yeux sont plus noirs que jamais. Longtemps elle reste ainsi, immobile et les mains vides.

Enfin le grillage apparaît. Et derrière, le visage rayonnant de Marc. D'abord, Sarah est si heureuse qu'elle court encore plus vite. Mais aussitôt, elle se rappelle et s'arrête. Le sourire de Marc s'efface. Il a peur qu'elle ne vienne pas plus près. Elle se remet en marche, lance d'un ton sec :

— Hier, t'étais pas là !

Hier ! Les pensées de Marc se bousculent dans sa tête. Hier ? C'était mercredi. Jamais il n'est là le mercredi. En se donnant rendez-vous, ils avaient oublié... Soudain il comprend : même ça, elle ne sait pas !

Il dit très bas :

— Le mercredi, il n'y a jamais école.

Et c'est comme s'il avait crié. Sarah ne lui laisse pas le temps de la surprendre.

— Alors, Mahoud ! Qu'est-ce qu'il a fait ?

Marc est de plus en plus perdu. Mahoud ! Une seconde il ne sait pas de quoi elle parle. Puis se souvient. Incertain, il murmure :

— Mahoud et le lion ?

Les yeux de Sarah brillent. Il hésite. Ce matin, en classe, il n'a pas écouté. Les yeux rivés à la fenêtre, il pensait à Sarah.

— Alors ! Qu'est-ce qu'il a fait Mahoud ?

— Eh ben… quand il a vu le lion il a eu très très peur… Si peur qu'il est tombé !

Sarah retient son souffle. L'ombre des losanges glisse sur son visage. Une mèche balaie son front tandis qu'elle crie :

— Tombé ?

— Tombé !

Marc sourit.

— Alors le lion s'est approché. Mahoud a fermé les yeux fort. Il entendait les grosses pattes froisser les feuilles tout contre son oreille. Et puis, plus rien.

— Plus rien ?

— Rien que le bruit des arbres. Et Mahoud l'a écouté, les oreilles grandes ouvertes, parce qu'il était sûr que c'était le dernier bruit qu'il entendrait avant d'être mangé. Mais, pendant qu'il écoutait les arbres, il sentit une grande chose tout humide lui tremper le visage. Tiens ! Comme une serpillière !

— Une serpillière ?

— Oui, une vieille serpillière toute sale. Et si dans la vie il y avait une chose que Mahoud détestait, c'était bien les vieilles serpillières toutes sales. Alors d'un coup, il s'est mis en colère.

Sarah frémit. Elle glisse ses doigts dans le grillage et s'y accroche.

— Il a rouvert les yeux d'un coup, il a saisi la grande chose molle et l'a lancée très loin. Alors, la chose a rebondi sur deux grands yeux tout étonnés puis elle est retombée. Il a vu qu'elle était rouge. C'était une langue. La langue du lion ! Alors Mahoud s'est arrêté, tremblant de peur.

— Et le lion l'a mangé ? lance Sarah dans un souffle.

— D'abord, le lion l'a regardé. Il n'en revenait pas. D'habitude, quand il goûtait son repas, jamais sa langue ne lui revenait dans la figure !

Sarah sourit. Ses doigts se desserrent un peu.

— Il fit un deuxième essai, ressortit un petit bout de langue. Mais dès que Mahoud l'aperçut, ce petit bout de langue tout sale, la colère le reprit. Il ouvrit la bouche toute grande et hurla :

— Tu vas me ranger ça ou je te la fais avaler !

Et les oreilles du lion volèrent une seconde tant Mahoud criait fort. Le petit bout de langue hésita un instant, puis disparut. Le lion était perdu. Jamais son repas ne lui avait hurlé ainsi dans les oreilles en le regardant bien droit dans les yeux !

Et quand une troisième fois le petit bout

rose apparut, Mahoud fronça les sourcils et il tira la langue. Oh ! À côté de celle du lion, c'était une toute petite langue ! Mais c'était une langue quand même ! Dès que le lion la vit il roula de grands yeux terrifiés. Son repas qui voulait le goûter ! Il recula lentement, et d'un coup se retourna et détala à toute vitesse !

Sarah rit fort, aussi fort que sa peur a été grande. Marc ne l'a jamais vue rire autant. Il la trouve belle. Il se sent fier ; c'est lui qui la fait rire et la rend belle !

— Et après ?

— Après, Mahoud rangea sa langue et partit vers l'école.

Un long silence s'installe. Sarah regarde ailleurs, vers la cour, vers l'école. Ses yeux se voilent. Elle dit :

— Tout ça, c'est dans les livres ?

Marc hésite. L'histoire du livre, il ne la connaît pas. Pourtant, à entendre Sarah rire il est sûr que la sienne est aussi bien. Alors il répond :

— Oui, ça c'est dans les livres.

Les yeux de Sarah repartent vers la cour. Sans la quitter des yeux elle murmure :
— Tu m'apprendras ?
Marc ne dit rien. Sa gorge se serre. Il est ému aux larmes.

12

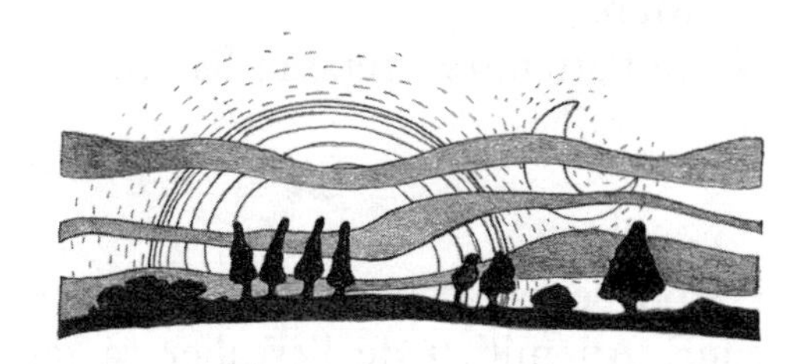

Quand la cloche sonne, ils se regardent à peine et Sarah s'en va vite. Sitôt fait les premiers pas elle se retourne. Marc n'est plus là. Elle sent qu'elle a mal. Elle l'appelle. Aussitôt il reparaît. Sans réfléchir, elle crie :
— Ce soir, tu viens chez moi !

Une seconde, Marc songe à ses parents, à son retard, hésite à demander :
— C'est loin ?

Devant l'insistance muette des grands yeux sombres, il dit juste :
— D'accord. Je viendrai.
— C'est quoi, ton nom ? crie-t-elle encore.

— Marc.
— Je t'attendrai, répond Sarah.

Courbé en deux, Marc remonte vers la cour. Au milieu de l'escalier sa tête heurte quelque chose. Interloqué il lève les yeux... M. Berne est là, immobile. Marc se sent pâlir. D'abord il ne voit que les poings posés sur les hanches. C'est sûr, le maître a tout vu ! Le grillage, Marc debout dans les troènes, et puis Sarah ! Surtout Sarah !

Les yeux baissés, Marc attend en rentrant les épaules. Il ne se passe rien. Alors il lève les yeux. Les poings sont devenus des mains qui pendent, ouvertes. Devant elles, Marc ose regarder plus haut. Il voit des yeux très doux et n'en croit pas les siens. Il a devant lui quelqu'un qu'il ne connaît pas. Et puis, ce regard lui en rappelle un autre, il y a longtemps. Il cherche. Il revoit des yeux clairs... À l'instant où il va se rappeler, M. Berne secoue la tête. Il regarde Marc, sursaute en rougissant, se détourne sans rien dire... Marc n'ose le suivre tout de suite. Il attend, puis marche lentement sur les pas de M. Berne. Là-bas, le rang avance sans l'attendre.

Soudain, la classe est devenue très sombre. Il ne parvient plus à la retrouver comme avant. Dès qu'il a franchi la porte M. Berne l'a su. Pourtant, comme d'habitude il a dit :

— Asseyez-vous et sortez vos cahiers !

Mais sa voix l'a surpris.

À présent, assis au bureau, il écoute ce que lisent les enfants, essaie de relever les fautes, n'y parvient pas. Il est ailleurs, très loin, retourné dans le jardin bleu empli de brume à chaque aurore.

L'aurore ! L'heure qu'il aimait ! Debout contre la vitre il guettait sa venue. C'était l'heure du silence, juste avant que n'éclatent les bruits de la maison, les premiers cris d'enfants. C'était ça qu'il guettait, l'instant des cris déchirant le silence, annonçant que le temps se remettait en route et que chaque jour, malgré la nuit et le silence, il se mettrait en route. L'instant des cris ; qui le bousculaient jusqu'aux larmes.

Un matin il n'y eut pas de cri. L'aube monta jusqu'au jour sans qu'aucun bruit ne la dérange. Bien sûr il l'avait toujours su. Un jour ils seraient grands, un jour ils partiraient... La première aube qu'on ne bousculait pas !... Il quitta le jardin. Quelque chose en lui était cassé. Peu à peu sa voix se fit plus dure, ses yeux plus noirs, posés sur des enfants qu'il ne regardait plus ; pour éviter de revoir les siens, et avec eux le jardin et ce long matin blanc que rien n'avait brisé... Aujourd'hui, prêt à hurler sur cet enfant échappé de la cour, il a surpris son regard émerveillé. De quoi, il n'en sait rien. Mais c'est le même que ceux qu'avaient ses enfants le matin. Un instant, le terrain de sport était devenu bleu, les cris du rang avaient flotté haut dans le ciel... À nouveau les yeux de Marc, surpris cette fois, et il avait compris que son regard à lui changeait...

Assis sur sa chaise, évitant le regard de Marc, il attend que la classe cesse d'osciller au rythme des images anciennes. Enfin, le tableau noir redevient noir et il peut se lever. Très raide, il crie :

— Rangez vos livres et sortez vos cahiers !

Cette fois, il a retrouvé sa voix dure et se sent rassuré.

En s'éloignant, Sarah pense soudain qu'elle ignore quand finit l'école. Et puis, elle pense à sa mère à qui elle n'a rien dit ! À la lisière du bois elle se laisse tomber sur l'herbe et ferme les yeux très fort. Elle écoute le murmure des grands arbres, sait que c'est là qu'elle va attendre, bien à l'abri des peurs, dans le doux froissement du feuillage où elle entend se faire et se défaire ce nom nouveau : Marc.

Une voix l'appelle. Elle voit sa mère debout sur le seuil.

— Sarah ! Je vais aux courses !

Sarah agite la main. Elle se dit que le village est loin et qu'elle sera absente longtemps. Elle se sent immensément joyeuse. Elle se tourne vers les arbres et sans bouger les lèvres, elle dit merci.

Puis elle se lève et reprend le chemin du grillage.

À la récréation Sarah n'est pas venue. Marc a oublié de lui dire. Pourtant il ne peut s'empêcher d'aller vers le grillage. Et c'est très doux, d'attendre ainsi avec la certitude de la retrouver là le soir. Soudain il pense à Jeanne. Elle aussi, il l'attendait parfois, quand elle partait dans le bois pour chercher des châtaignes. C'était l'automne, et tous les bruns des feuilles dansaient devant ses yeux. Elle partait en riant sous son grand chapeau jaune, disant qu'elle allait faire ses courses. Marc avait toujours un peu peur qu'elle ne revienne pas. Quand elle revenait, il courait vers elle en criant :

— Tu as trouvé ?

— Rien, disait Jeanne.

Ils attendaient, face à face, le rire au bord des lèvres. Puis Marc ouvrait les mains. Alors, Jeanne versait sur elles le contenu du panier en éclatant de rire. C'était leur jeu. Ils l'adoraient. Jeanne l'appelait le jeu du trésor.

Jamais pourtant Marc n'allait avec elle. Jamais il n'entrait dans le bois. C'était le petit bois de Jeanne. Il abritait ses pas, ses trésors ; ses tristesses, aussi, qu'elle emportait là-bas pour revenir radieuse après avoir longtemps marché. Et tout à coup Marc se souvient : un jour, Jeanne était entrée dans le bois, et elle n'était pas seule : près d'elle se tenait Adrien... Ce souvenir, Marc le reçoit comme un coup.

*
**

Dès que la cloche sonne, le cœur de Sarah s'emballe. Elle scrute l'école. Là-bas, une porte s'ouvre et crache un grand serpent d'enfants. Dans le corps de la bête, elle cherche Marc. Une fois elle croit le voir. Mais il ne vient pas vers elle. Soudain elle comprend : bien sûr qu'il ne va pas venir ! Pour sortir de l'école, il doit passer la grille ! Et où est-elle, cette grille ? Sarah réalise qu'elle n'en sait rien. Alors, comment Marc va-t-il la trouver ? Elle va se lever pour partir à sa rencontre, elle s'arrête. Et si elle le manquait ? Elle se rassied et continue d'attendre. Et peu à peu, elle réalise que jamais elle n'a vraiment pensé qu'on sortait de l'école ; que le soir, Marc partait vivre ailleurs. Et où ?

À l'instant où il franchit la grille Marc sent son cœur bondir... Il est surpris. Ce petit coup, c'est le même exactement qu'autrefois, quand il passait la grille de Jeanne. Soudain il le retrouve intact au fond de lui. Poussé par les enfants qui sortent, il se remet en marche, s'arrête à nouveau. Où aller ?

Face à la grille, il y a la route qu'il prend le soir. Une autre longe le grillage. Il la suit. Très vite, des buissons séparent la route du grillage. Il quitte le trottoir et passe entre les branches serrées pour continuer à le suivre. Les branches se resserrent, il a du mal à avancer. Alors, il regarde à travers le grillage. Il voit, là-bas, le grand terrain de sport. C'est drôle, jamais il ne l'a vu de ce côté-ci. Jamais non plus il ne l'a vu si vide. D'ici, on croirait une prison ! Mal à l'aise, il débouche dans un champ bordé tout au fond de grands arbres. Il le reconnaît. C'est celui qu'il regarde si souvent à l'abri des troènes. Sans le grillage, qu'il a l'air grand tout à coup ! Marc prend peur. Il avance prudemment, tout au bord, comme si d'un coup il allait l'avaler. Et puis, il voit le petit bois. Et les derniers mètres, il les fait en courant. Pénétrant sous les arbres, il ralentit à peine. Et soudain, son pied heurte une chose dure et il tombe. Un cri lui perce les tympans. Il se soulève sur les coudes... Elle est là, devant lui ! Assise en tailleur elle se frotte un genou. Et puis elle lève la tête, le voit... Aussitôt elle rougit. Son visage est sans ombre, sans grillage ; un visage nu, aussi vaste que le champ tout à l'heure. Marc est presque gêné. À son tour il rougit.

Sarah se lève, secoue sa jupe pour occuper ses mains. Une mèche tombe, qu'elle repousse aussitôt. En retrouvant ce geste, Marc se sent mieux. Soudain le champ n'est plus si vide. Sarah le regarde à nouveau. Elle dit :

— Je t'attendais.

Et elle part à travers les arbres.

Bientôt, ils avancent côte à côte et leurs épaules se frôlent. Sarah l'a déjà fait mille fois, ce trajet dans le bois. Ce soir, contre cette épaule, dans le froissement des feuilles que d'autres pieds écrasent, elle a l'impression de le faire pour la première fois.

Près d'elle, à mesure qu'il avance Marc se sent très ému. Il sent venir des larmes qu'il ne comprend pas et refoule à grand-peine. Dans la lumière dorée, marchant près de Sarah c'est comme s'il entrait dans le bois des secrets de

Jeanne. Sarah le conduit doucement, comme Jeanne autrefois conduisant Adrien et laissant Marc sans le savoir dans une peur si grande qu'il ne pouvait crier. La peur que jamais ils ne reviennent. Ce soir, en le guidant, Sarah le tire enfin de ce grand ventre de silence. Enfin, on vient le rechercher.

Puis Sarah voit le noisetier. Elle aussi, veut raconter la suite. Elle crie :

— Regarde, il a de nouvelles feuilles...

Marc suit son doigt tendu. Dans l'arbre, les feuilles font des étoiles autour d'un cœur gonflé, prêt à être cueilli. Marc pense aux châtaignes et ses yeux s'illuminent. Et Sarah sourit, ignorant qu'elle trace une suite à l'histoire de Marc dans le jardin de Jeanne...

— Eh ! Regarde !

Là-bas Marc voit le pic-vert qui s'envole. Jamais il n'en a vu. Quittant Jeanne il revient à Sarah. Déjà le bois s'achève. À travers les branches, Marc devine un grand pré. Il lève les yeux vers les grands arbres, son regard s'y accroche. Là-haut, à nouveau, les arbres tiennent le ciel !

Sarah suit le regard de Marc. Et pour la première fois elle regarde les arbres autrement, ne cherchant plus derrière eux quelqu'un d'autre. Un absent.

Enfin, ils vont vers la maison. Sarah a déjà atteint la porte. En avançant vers elle, Marc retrouve ce pas vif qu'il avait pour courir vers Jeanne, en même temps que cette joie tremblante chaque fois qu'il part vers les troènes pour rejoindre Sarah. Tout son corps vacille entre deux mondes.

Et soudain, il demande :

— Et tes parents ?

— Ma mère est allée faire des courses.

Faire des courses ! Les mots de Jeanne, quand elle partait à la recherche du trésor !

Enfin rassuré, il avance.

13

En franchissant le seuil, Marc se retrouve nez à nez avec une tête énorme. Il manque hurler de peur. Des yeux blancs globuleux le fixent sans le voir.

— Ah, c'est Théodule ! dit Sarah. Théodule, je te présente Marc ! Allez, entre ! Il ne mord pas. Ce sont ses yeux qui font drôle, à cause des ampoules.

En le regardant mieux, Marc découvre en effet que ses yeux sont deux grosses ampoules blanches. Dessus, des cercles noirs tracent les pupilles. Le visage est formé de Lego aux couleurs vives. Collé sur une planche, Théo-

dule trône sur une chaise dans l'entrée.
— Il ne dort jamais, murmure Sarah. Alors on l'a mis dans l'entrée.
— Pour qu'il surveille ?
— Non, pour qu'il ne s'ennuie pas. Et puis, ajoute Sarah tout haut, pour qu'il ne fasse pas de bruit quand les autres dorment...

Et elle éclate de rire. Inquiet, Marc avance prudemment dans une grande pièce sombre. Il s'arrête, médusé. Sur les murs, sur les meubles, sur le sol, il voit des objets bizarres. Sarah touche le premier.
— Ça, c'est Pluche. La femme de Théodule.

Comme Théodule, Pluche a les yeux ronds. Mais plus doux. Des yeux en coquilles d'escargots, qui s'enroulent sur eux-mêmes. L'ovale de son visage disparaît sous les plis d'un grand tissu rose. Un gant bleu s'en échappe, où son visage repose comme dans une main.
— Pluche, elle rêve.

Disant cela, Sarah baisse la voix. Marc la regarde, intrigué.
— Pourquoi elle rêve ?

Marc aussi a parlé à voix basse.
— On ne sait pas, dit Sarah. Moi je crois que c'est à cause de ses yeux qui tournent tout doucement sur eux-mêmes, comme si...

Comme si elle regardait ailleurs, à l'intérieur, en recommençant toujours le même rêve… Tu ne trouves pas, toi, qu'on dirait qu'elle rêve ?

Entre les plis roses et le gant, Marc suit des yeux les spirales des coquilles. Il pense aux yeux de Jeanne qui raconte Adrien.

— C'est vrai, murmure-t-il.

Ses yeux descendent se poser sur le tissu, là où il masque l'endroit de la bouche.

— Peut-être qu'elle sourit…

Son regard remonte sur les yeux. Soudain, ces yeux vides lui font peur. Des mots affluent sur ses lèvres en désordre. Tout à coup il est loin, dans une petite pièce sombre de la maison de Jeanne. La panique le gagne…

— Et là, c'est le hibou !

La voix claire de Sarah le ramène dans la pièce. Son doigt glisse le long d'une racine à deux branches. En haut de chacune Marc voit un œil, et à l'endroit où la fourche commence, une plume frémit.

— C'est la moustache, dit Sarah en la frôlant du bout du doigt. Un hibou à moustache. Mais celui-là, ma mère l'a raté.

— Ta mère ?

— Ben oui, ma mère. C'est elle qui fait tout

ça. Ah là, regarde. Ça c'est mon préféré !

À demi cachée par un meuble, une grande planche est posée au sol et couverte d'objets. Ça ne ressemble à rien.

— C'est quoi ?

— Viens plus près, tu vas voir.

Sarah s'assied. Marc l'imite et regarde ; et d'abord, ne voit que des couleurs. Regardant mieux il distingue des bonshommes en plastique, des feuilles d'arbres séchées, de la mousse, du papier. Ça lui rappelle un peu quand il a dû apprendre à lire. Il n'y comprenait rien. Il avait peur. Et puis, sur le chapeau de Jeanne il avait vu un J ; le J de Jeanne. Alors il avait commencé à reconnaître les petites lettres qui formaient les mots...

— Tu vois, dit Sarah, là il y a un bois plein de mousse et de buissons. Et là c'est un chasseur. Il va chercher son ami l'ours. Tu vois, il est caché là-bas...

Marc voit un des petits hommes en plastique. On dirait qu'il avance. Tout au bout, il n'y a plus rien que la planche nue ; rien que du vide...

— Et là, c'est quoi ?

Sarah pose son doigt au bord du vide.

— Là, c'est la suite de l'histoire. Peut-être qu'il y a son ami l'ours... Peut-être qu'il y a toi...

Marc regarde longtemps cet endroit clair où rien n'est encore dit. Ça lui fait drôle, de penser qu'il est là, dans ce vide.

Levant les yeux il voit la nuit qui emplit la fenêtre.

— Faut que j'y aille.

Sur le seuil il murmure :

— Comment on fait pour revenir ?

— C'est par là, dit Sarah.

Aussitôt Marc avance.

— Marc ! Attends, je t'emmène !

Elle le rejoint, lui prend la main et ils s'engagent dans le pré sombre. À l'autre bout il y a la route. Tenant Marc bien fort, Sarah la suit. Autour on ne voit rien. Plus loin des lumières brillent. À la première maison, Sarah s'arrête.

— Tu vois, là-bas, c'est d'où tu es venu.

Marc regarde. Il voit un grand bloc sombre.

— La grille de l'école est sûrement de l'autre côté. Tu reconnais ?

— Oui, je vois, dit Marc qui ne reconnaît rien.

Il sent la main de Sarah quitter la sienne. Puis il entend :

— À demain, hein ?

Déjà, la voix semble loin. Des pas résonnent, de plus en plus faibles. Bientôt il n'entend plus que le silence. Il dit :

— À demain, Sarah.

Plus personne n'est là pour l'entendre. Sa voix le rassure. Il se remet en route. Une voiture passe. Une flaque de lumière coule sur le bitume. Marc pense au chapeau de Jeanne. Le noir se referme. Il avance plus vite. Devant les grilles il ralentit. Il sait que c'est l'école, pourtant il ne la reconnaît pas. Doucement, il pose ses mains sur les barreaux. Ce contact le glace. Soudain ses mains se ferment et il se revoit là, des années plus tôt, hurlant de peur à l'idée d'entrer. Aussitôt il repense à Sarah, qui le regarde à travers le grillage. Et tout à coup il se demande si elle aussi a peur d'entrer...

Il arrive devant son immeuble en tremblant, monte les marches en courant. Devant la porte il hésite à entrer. Sa tête est remplie d'images de maisons chaudes tapies dans la pénombre. Soudain, ici, il ne se sent plus chez lui. Il s'efforce de ne penser à rien et entre brusquement. Longeant le couloir, il atteint la porte du salon. Assis très raides, ses parents le regardent. D'abord, personne ne dit rien. Soudain son père se lève, vient à lui à toute vitesse ; il y a de la peur dans les yeux de sa mère... Une main brûlante claque sur sa joue. Aussitôt il sent les larmes inonder son visage, se sent poussé jusqu'à sa chambre, la porte claque. Il est seul, renifle, regarde autour de lui. Un instant, il ne reconnaît rien.

14

Les bras chargés, Amande contourne la maison. Elle est encore dans l'ombre du mur quand elle voit sortir un enfant qu'elle ne connaît pas. Étonnée, elle recule. Il avance dans le pré. Et elle entend le cri de Sarah :

— Marc !

Elle voit le garçon qui se tourne, Sarah qui le rejoint. Ils disparaissent ensemble dans la nuit.

Amande ferme les yeux. Son sang la quitte d'un coup. Ses mains lâchent les paniers. Dans son cri elle n'a pas entendu la voix de sa fille, mais la sienne, autrefois, criant avec cette même force ; criant le même nom. Marc. Le nom du père de Sarah. Le dos contre la pierre, elle écoute les bruits de la nuit, se force à ne penser à rien. Puis elle rentre.

À l'intérieur rien n'a changé. L'ouragan court toujours dans son crâne. Peu à peu, sans qu'elle y pense, ses mains façonnent. Quand elle découvre l'objet qu'elles tiennent, elle prend peur. Ses doigts sont serrés sur une racine à deux branches, et chacune porte un tournesol séché comme un soleil mort. Interdite, elle contemple l'objet du premier jour que ses mains ont refait.

Le retour est très doux pour Sarah. Elle aime marcher dans l'herbe humide. Maintenant, sa maison a changé. Marc y est entré, et ça la rend vivante.

En entrant, elle trouve Amande dans la cuisine, qui s'affaire en silence. Malgré la nuit déjà tombée, elle ne lui demande rien. Le repas se déroule en silence. Chacune voudrait parler, aucune n'y parvient. Dès que sa mère ramasse les assiettes, Sarah s'éclipse dans la grande pièce et s'approche de la planche. Tout à l'heure, quand Marc l'a regardée elle a

vu de la peur dans ses yeux et elle cherche pourquoi. D'abord, elle ne trouve pas. Et puis ses yeux s'arrêtent au bord du vide, là où ses rêves commencent. Et soudain, pour la première fois, elle voit qu'il n'y a rien. Pour la première fois elle a peur. Elle regarde ailleurs, voit le chasseur qui marche et sa peur disparaît. Inquiète, elle se relève, et au moment de quitter la pièce, voit le second hibou. Elle s'enfuit en courant vers l'étage.

Dans sa chambre elle se sent seule, ressort, hésite. Elle voudrait rejoindre sa mère, lui raconter, n'être plus seule... À cause du second hibou elle n'ose pas. Alors, elle gravit les marches qui mènent au grenier. Devant la glace, elle s'assied face à son image.

« *Là-bas, disait la voix, là-bas vivait Sarah la brune ; elle mettait des images au mur...* »

Sarah repense à cette autre Sarah, elle la revoit assise au creux d'une chaise immense, comme autrefois quand son père racontait. Et tout à coup elle pense à Marc ! Et se voit seule devant le grand miroir. La voix ne revient pas, l'image du garçon l'a chassée.

Elle se lève. Ses yeux tombent sur les livres. Elle en prend un, tourne les pages. Longtemps elle suit des yeux les lignes mystérieuses. Puis elle le referme et l'emporte avec elle.

Ce soir-là, Sarah s'endort les mains posées sur le livre. Il sait des histoires qu'elle veut apprendre.

Dans la nuit, Amande se réveille et son regard tombe sur sa main. Posée sur le drap, elle ne tient rien. Doucement, elle bouge les doigts et sent l'absence dans le creux de sa paume.

Chaque matin depuis le matin du départ, Amande s'éveille avec les mains refermées sur le drap. Cette nuit, sa main ouverte lui semble étrange. Elle la regarde, essaye de s'habituer à la voir vide. Alors, elle sent son autre main qui saisit le drap et le serre. De plus en plus.

Avant de descendre déjeuner, ce matin-là, Sarah prend un pull dans l'armoire, qu'elle enroule autour du livre. En bas sa mère s'affaire. Sarah pose le pull dans l'entrée, derrière Théodule, puis elle entre dans la cuisine. Tout de suite, elle voit qu'Amande a les yeux rouges. Le lait est presque froid. À l'instant où elle repose son bol, sa mère dit :

— Ce matin je vais chercher des pommes pour faire un gâteau. Tu veux venir ?

Ramasser des pommes ! Comme quand elle était petite ! Sarah pense au livre enfoui dans le pull.

— Je voulais finir la cabane, tu sais, sous le noisetier…

Trop de détails, d'hésitations. Elle a tant honte de son mensonge… Amande reprend sa vaisselle :

— Bon. On fera le gâteau plus tard.

Sarah s'éloigne en marchant vite. Elle sent qu'elle doit cacher le livre mais elle ignore pourquoi. Debout sur le seuil, Amande la regarde. Comme la veille, elle sent sa gorge se serrer. Elle voit le pull roulé au creux du bras, le pas rapide ; et soudain se rappelle que sous le noisetier, il n'y a jamais eu de cabane…

15

Chez Marc, ce matin, personne n'a posé de question. Sa mère a même souri, comme si son retard de la veille était oublié. Et en partant, comme d'habitude son père l'a embrassé.

En retrouvant l'école, Marc s'est souvenu du grand bloc sombre de la nuit. Mais c'est en souriant qu'il a franchi la grille, parce que c'est là qu'il allait retrouver Sarah.

Quand la cloche sonne l'heure de la récré, il est si pressé que suivre les autres dans l'escalier lui pèse. Il va s'élancer dans la cour quand une main le retient. Marc se retourne. M. Berne lui sourit.

— Alors Marc, tu ne t'ennuies pas ?

— Non... Non m'sieur... J'allais aux toilettes...

M. Berne retire sa main. Sans se retourner, Marc part vers les toilettes. Il se force à ne pas courir. Quand il en ressort, M. Berne est occupé plus loin. Il respire un grand coup et dévale l'escalier.

Sarah ! Ce prénom court dans sa tête bien avant qu'il ne la voie. Il sursaute. Pourtant,

elle est là et elle sourit. Mais le fer tisse entre eux, à nouveau, ses losanges. Marc avait oublié qu'il y avait le grillage !
— J'ai apporté ça ! dit Sarah.

Marc regarde et se sent bouleversé. Sur la couverture du livre qu'elle tient, il y a un homme assis, qui tient une petite fille sur ses genoux. Un livre est ouvert devant eux, qu'ils regardent ensemble. Tout de suite, Marc reconnaît le livre. C'était son livre de lecture quand il était petit. Le premier.
— Tiens ! dit-elle en tendant le livre. Aussitôt elle voit qu'il ne peut passer à travers le grillage. Ses yeux se voilent. Marc dit :
— C'est pas grave, ouvre-le ! Je verrai aussi bien.

Sarah ouvre le livre et le tourne vers Marc. Il voit la première page ; et revoit son père s'éloignant sur la route. C'était le jour de la rentrée. Il s'entend encore l'appeler. Puis il est seul assis devant ce livre. À travers ses larmes il ne voit que du flou. Sarah se tourne dos au grillage pour voir à l'endroit. Ses cheveux frôlent la joue de Marc. Sur la page il voit un chat qui boit du lait. Plus loin, par la porte grande ouverte une femme s'éloigne. Marc passe son doigt à travers le grillage et vient toucher le livre.

— Là, dit-il, c'est le chat. C'est écrit là.

Sarah pose son doigt tout à côté du sien, répète :

— Le chat.

— Le chat boit le lait, dit Marc en faisant glisser son doigt le long de la ligne.

Il heurte celui de Sarah qu'elle retire aussitôt. Et c'est très doux, ce petit heurt de leurs deux doigts sous le mot « lait ».

— Et là, c'est quoi ?

Sarah montre la ligne suivante.

— Là, c'est « Mamie va faire les courses ».

Disant cela, Marc pense à Jeanne, aux châtaignes, à son geste pour les verser, à son rire grand comme un soleil... Sarah répète :

— Mamie va faire les courses.

En l'entendant Marc se souvient : c'est la première phrase qu'il a su lire.

Là-haut la cloche sonne. Sans bouger, Marc pose son doigt au-dessous de « Mamie ».

— Encore une fois.

Sarah répète encore et Marc se sent heureux, comme si c'était son doigt qui faisait venir les mots dans la bouche de Sarah. Il se lève.

— Cet après-midi ?

— D'accord, dit Sarah. À quelle heure ?

— 3 heures, dit Marc.

Et il s'éloigne. Quand il a disparu, Sarah pose son doigt sur la page et elle dit à voix haute :

— Mamie va faire les courses.

Et c'est comme si Marc était encore là.

Regardant les toilettes, M. Berne a vu tout de suite la porte ouverte. Il a revu aussitôt ses enfants courant le matin ; jouant à partir. Il s'est tourné vers le terrain de sport et brusquement, il a souri. Là-bas, tout contre les troènes, il y avait le grillage. Il a regardé les arbres bouger, lui parler de ces jours où comme Marc, ses enfants s'arrêtaient au grillage, espérant pour la première fois que la récréation allait durer longtemps. Quand on lui toucha l'épaule, il sut qu'il avait oublié de sonner.

Marc parti, Sarah ramasse le pull et s'enfonce sous les arbres. Dans sa tête résonnent les mots lus. Elle a l'impression que dans sa main fermée, le livre parle encore. Après quelques pas, elle s'arrête et le rouvre. Elle ne reconnaît rien. Décidément, pour apprendre les mots, il lui faut Marc.

Quand elle voit sa maison, elle repense au gâteau. Elle se revoit, petite, enfoncer les doigts dans la pâte et les frotter au grand tablier de sa mère ; et sa mère rire aux éclats et poser sur ses joues ses mains blanches de farine, puis lui donner les tranches de pommes à placer une à une dans le grand plateau rond pour faire un escargot immense. Soudain elle pense aux yeux de Pluche. Une larme glisse sous sa paupière.

— Un gâteau, murmure-t-elle, c'est tellement long à faire.

Et elle s'enfonce à nouveau sous les arbres.

Tout le matin, Amande a tourné dans la maison. La grande pièce lui fait peur. Chaque fois qu'elle essaie d'y entrer, elle pense au second hibou, repart vers la cuisine et sent ses mains qui s'impatientent. Elle prend un plat, s'arrête... Sarah n'est pas là pour voir les choses se faire ! Elle revient vers la pièce, recule, reste coincée dans le couloir. Théodule la fixe de ses gros yeux éteints. Elle le regarde et elle revoit Sarah, petite, courant dans l'ombre des grands arbres. Adossée à la pierre, n'entendant que le vent et le rire de Sarah, Amande se sentait bien. Et puis, en plein soleil, Sarah s'était arrêtée puis avait marché vers sa mère, et avait demandé :

— Maman, l'histoire du sommeil qui ne veut pas dormir, tu te rappelles la fin ?

Les doigts d'Amande avaient griffé la pierre. L'histoire du sommeil, c'était celle que son père avait faite pour Sarah. Il la racontait à l'instant où le ciel basculait dans la nuit.

— C'est le plus beau moment, disait-il. C'est celui-là, qu'il faut pour raconter.

Et pendant que Sarah s'endormait, Amande écoutait la voix sculpter les mots très doucement. Puis la voix s'éteignait. Et il venait vers elle.

Sarah avait attendu. Puis elle était repartie vers les arbres, sans plus attendre de réponse. Amande avait cherché des mots pour lui dire. Quand elle avait couché Sarah elle ne les avait pas trouvés. Alors, dans la pièce où dormait déjà le hibou, ses mains avaient cherché, au hasard, toute la nuit. Au matin, Sarah avait trouvé l'objet dans l'entrée. Elle avait dit :

— On l'appellera Théodule.

Depuis, souvent elle lui parlait. Mais jamais elle ne l'avait touché.

— À cause de ses yeux morts, avait-elle dit un jour.

Et il était resté coincé au milieu du couloir comme les mots dans la gorge d'Amande ; comme Amande, aujourd'hui.

Quand elle voit le noisetier, Sarah s'arrête. Elle s'assied dans son ombre et à nouveau, ouvre le livre. Sur la page un enfant court avec un chien. Plus loin une petite fille lit sous un arbre tout brun.

— C'est un arbre d'automne, pense Sarah. Comme ici.

Puis elle cherche dans les lignes le mot qui dit arbre. Ses yeux errent le long des lettres et s'arrêtent sur un mot. Il commence par un escargot tout ouvert, puis il fait une boucle tendue comme l'arbre vers le ciel, ensuite un bâton qui porte un point comme un œil, ou bien comme un soleil. Après, il y a une boucle plus petite, et deux ponts pour finir.

— C'est le plus beau, pense-t-elle. C'est sûrement lui le mot de l'arbre.

Quand elle entend les cris, elle court vers le

grillage. Quand elle arrive Marc n'est pas là. Elle lève les yeux et sursaute ; en haut des marches, un homme la regarde.

— Gagné ! crie Marc en entendant sa bille en heurter une autre.

Tout en criant pourtant, il surveille le centre de la cour. Là, M. Berne fixe les troènes. Marc est inquiet. Pourquoi regarde-t-il là-bas ? Et puis l'instituteur se retourne et leurs yeux se rencontrent. Marc se dit que ceux de son maître sont bleus.

Sarah a reculé sous le couvert des arbres. Son cœur cogne de peur ; et d'autre chose aussi. Dans ce regard posé sur elle une seconde elle s'est sentie au chaud. Elle repense au miroir sans regard. Tout à coup elle se dit qu'elle aimerait entendre la voix de cet homme. Elle écarte les branches. Il est toujours là, les yeux tournés vers elle. Qu'il n'ait pas disparu la rassure.

D'abord il avait vu l'arbre bouger. Pourtant Marc était dans la cour. Alors, qu'y avait-il là-bas ? Soudain il voulait savoir ce qui s'agitait, de l'autre côté des grillages, qui donnait envie d'y aller voir, de ne plus revenir. Il avait attendu, serrant les dents. Et quand il avait vu les cheveux clairs ensoleiller les arbres, et ce tout petit visage craintif, il s'était détourné, et pour ne pas pleurer, avait ancré ses yeux dans ceux de Marc.

Sarah retourne s'asseoir au même endroit que le matin. Là, elle rouvre le livre et tourne les pages au hasard. Ses mains s'arrêtent sur une image. Dessus, un homme marche entouré d'enfants. Elle se sent à nouveau tirée vers le haut. Ce regard, c'est comme avec la grande main de son père !...

Quand les cris résonnent elle revient au grillage. Cette fois, Marc est là. Sarah ne peut s'empêcher de jeter un œil vers la cour, mais l'homme n'est plus là. Alors elle s'assied, cherche la page de l'arbre et pose le doigt sous le mot qui commence par l'escargot. Elle regarde Marc, et elle dit :

— Arbre !

Marc voit le mot. Ce n'est pas « arbre ». Il a envie de le dire. Seulement, elle est si fière, avec le mot de l'arbre ! Alors il passe une main par les trous du grillage, prend la sienne toujours rivée au livre et doucement, la fait glisser jusqu'à un autre mot. Et il dit :

— Oui. Arbre. C'est là. C'est bien.

Sarah regarde cet autre mot. Pourtant,

quand un instant plus tard elle répète : « arbre », c'est presque comme si c'était elle qui l'avait trouvé. Puis elle dit :

— Tu me racontes, avec les mots ?

Et Marc se met à lire, laissant son doigt glisser sous les lignes pour Sarah.

Et elle, le regarde dire les mots comme s'il mangeait, attendant le sourire ou la grimace. Et à voir son visage elle pense que ça a l'air bien bon de lire. À aucun moment elle ne songe que c'est parce qu'il lit pour elle, que les mots se font si bien sur ses lèvres. Il la regarde et dit :

— Répète !

Replace son doigt au début de la ligne. Sarah essaie. Ça râpe. Ce sont pourtant les mêmes mots que ceux de tous les jours. Mais là, ils sont écrits. Pour la première fois elle les sent se former dans sa bouche. Tout à coup elle se revoit petite devant sa mère qui goûte et dit :

— C'est bon, vas-y, et lui tend la cuillère.

Alors, elle a peur, arrête de lire. Marc reprend :

— La petite fille...

Sarah le regarde et recommence, avec au bout, la promesse de cette douceur-là...

La cloche sonne pendant que Marc lit. Il

finit sa phrase, puis sans lever les yeux, dit :
— Demain, il n'y a pas école.

Une seconde, Sarah se demande si c'est une phrase du livre. Mais sur ces mots le doigt de Marc n'a pas bougé. Elle le regarde et dit :
— Le mercredi, il n'y a jamais école.

Tous deux sourient. Aucun ne bouge.
— Alors... Après-demain ? À 10 heures ?
— Après-demain, répond Sarah.

Un début de tristesse grignote autour de son sourire.
— Demain... Tu joues dehors ?
— Demain ? Oui, des fois je suis dehors...

Sarah n'a pas compris. Marc n'ose rien ajouter.
— Alors... Après-demain ?
— D'accord, répond Sarah.

Marc se lève et s'en va vite.

Le livre serré dans le pull, Sarah marche lentement dans la lumière du soir comme dans un bain clair et tendre avant la plongée vers la nuit. Elle se répète tout bas :
— La petite fille lit sous l'arbre...

Et elle a l'impression d'être cette petite fille et de marcher dans l'histoire du livre. Pas dans la sienne. Ce soir, la sienne lui fait peur.

Elle serre un peu plus le pull autour du livre pour mettre les mots bien au chaud. Au moment où elle passe devant le rideau des grands arbres, le soleil surgit dans le pré ; rien que pour elle. Quand elle atteint la porte, c'est déjà la nuit.

Elle trouve Amande immobile, tournée vers la fenêtre. Quand elle pose le pull sur la table, Amande se tourne et la regarde, puis va vers le buffet et commence à mettre la table ; le retour de Sarah la remet en marche. Elle prend la vaisselle et la pose avec les gestes lents que Sarah lui connaît, qui cherchent l'objet alors même qu'il est là, qui cherchent dans l'objet un autre objet. Mais Sarah sait ce soir qu'il n'y a rien de plus à trouver qu'Amande dans la pénombre et sa tristesse.

Quand tout est prêt elles s'assoient sans un mot et elles mangent en silence. Et quand Amande se lève et enlève ces objets qui n'ont fait que servir, qui ne font plus rêver, Sarah monte l'escalier en oubliant le pull.

Restée seule, Amande le déplie avec des gestes très prudents. Il s'ouvre doucement dans un silence de laine. Alors elle voit le livre. Son regard paniqué se déplace sur la couverture, très vite ; puis plus lentement. Enfin ses mains s'approchent, s'y posent, tournent les pages, s'arrêtent sur l'une d'elles. Dessus, elle voit une porte grande ouverte, une dame qui s'éloigne. L'image devient floue. Sa première larme tombe sur la porte. Elle revoit la rentrée. Elle se revoit debout devant la grille. Elle le voit qui s'éloigne au milieu de la cour puis se tourne vers elle et sourit avant d'entrer en classe. Elle se souvient de sa voix, s'échappant par la fenêtre. Dehors, il fait beau. L'automne se prépare, doré dans le murmure obsédant du feuillage. Dans tout cela sa voix, qui scande : « Le chat boit le lait. ».

La première larme sèche sur la porte grande ouverte. Sur la page redevenue claire, dans le silence de la cuisine elle lit à voix haute :

— Le chat boit le lait.

Rien ne s'effondre. Un instant elle se croit forte, dit :

— Mamie va faire les courses.

Elle regarde la femme qui s'en va. Et soudain fond en larmes au milieu de la page.

Arrivée dans sa chambre, Sarah a senti que quelque chose manquait. Alors, elle a réalisé qu'elle oubliait le livre. N'osant redescendre elle a marché vers la fenêtre, a regardé les arbres se balancer dans le silence, de l'autre côté du carreau ; leurs branches, grands éventails de deuil, glissaient sur le ciel sans jamais le rayer. Plus tard, dans son sommeil elle a entendu une phrase qui parlait de chat, qui parlait de lait. Elle a cru qu'elle rêvait. Un instant, il lui sembla qu'en bas quelqu'un pleurait...

16

Ce matin, dès qu'il ouvre les yeux Marc se souvient : il a rendez-vous avec Jeanne ! Il saute à bas du lit. Un instant, la pensée de Sarah l'effleure et ralentit son geste, comme une chose douce et triste.

Sur le chemin, de grands coups de vent balaient les branches au-dessus de sa tête, aussi larges que des mains. Les arbres ploient, les feuilles descendent dans un flot rouge et brun. Il tend les mains et trois s'y posent. C'est léger ; aussi doux que les cheveux blonds de Sarah, aussi fragile que le voile rose. Marc ferme un peu les doigts.

Dedans, ça craque comme les châtaignes de Jeanne se pressant dans ses paumes.

Il monte les marches, frappe à la porte. Jeanne vient ouvrir. Il la suit dans le couloir.

À présent ils sont là, assis l'un près de l'autre, se regardant à peine et n'osant rien se dire. Les trois feuilles sont posées sur la table. Sans qu'elle sache pourquoi, les yeux de Jeanne ne les quittent plus. En entrant, Marc a vu le chapeau posé sur le buffet. Vivant. Il attend que Jeanne risque les premiers mots.

Jeanne le sait. Et n'ose pas. Dans le silence elle repousse une mèche... Sa main reste en l'air pendant qu'elle se souvient. Ce geste, c'était celui qu'Adrien préférait ! Alors elle sent qu'elle va parler, ouvre la bouche... C'est Marc qui parle le premier ! Parce que ce geste-là ramène Sarah. Il montre la main de Jeanne et dit :

— Elle aussi elle fait comme ça, Sarah.

Aussitôt Jeanne répond :

— C'est ce geste-là qu'Adrien préférait...

Marc sourit. Quand le même sourire éclaire les yeux de Jeanne, il dit :

— Sarah, elle habite dans le bois. À côté des grands arbres...

Le sourire de Jeanne grandit comme un soleil.

— Les grands arbres, dit-elle. Comme chez moi ; comme avant...

À nouveau le silence. Mais doux, cette fois. Et puis les mots reprennent.

— Tu te souviens, chez moi, comme ils remuaient fort, les arbres ? Tu croyais que c'étaient des lutins qui les faisaient bouger pour les faire tomber, tu te rappelles ?

Marc rit.

— Ah oui, les lutins d'Adrien !...

Aussitôt, il s'interrompt. Pour la première fois il se souvient vraiment. Adrien ! Sa main brune posée sur son épaule et ses yeux lumineux tandis qu'il racontait...

Des lutins. Des lutins si petits que les feuilles les cachaient ! Et qui poussaient pour faire bouger les arbres ! Et le bruit dans les branches, qui n'était pas le vent mais le rire des arbres que ça chatouillait ; que jamais cela ne ferait tomber...

Marc se souvient. Alors, Jeanne peut reparler d'Adrien. Il est bien revenu. Marc y croit.

— Les lutins d'Adrien ! Il te prenait sur ses genoux, là-bas sur le vieux banc et il te parlait des lutins. Et on était là tous les trois à les chercher des yeux, à les écouter rire...

— Et puis il y avait la dame ! Tu sais, la dame du bois... La dame, tu te rappelles ?

Marc s'anime, retrouve ses yeux pétillants de tout petit enfant. La dame… Jeanne redevient rêveuse. C'est si doux, le retour d'Adrien ! Ça lui remet en bouche un goût d'enfance, de sa deuxième enfance ; celle avec Adrien…

— La dame, dit-elle encore. Dire que j'avais oublié ! Avec ses longs doigts blancs des jours de gel…

— Et ses doigts d'or de quand c'était soleil.

— Ses doigts d'or… Même à ça, on croyait… Et le soir, tu te souviens, quand la nuit touchait d'abord le feuillage.

— Ah oui ! Je me rappelle ! Il nous disait qu'elle enfilait sa robe de nuit, que nous on était encore dans la robe de jour...

— La robe de jour, la robe rose du matin aussi ténue qu'un voile...

Et ils sourient. Ensemble, à petites touches, leurs voix composent la mémoire d'Adrien. Et puis Marc dit :

— Pluche aussi, elle a un voile rose posé sur les cheveux ; et aussi sur la bouche...

— Qui est Pluche ? demande Jeanne.

Et dans les mots de Marc, Sarah revient. Depuis le début elle y est attendue. Il parle d'elle, de la maison, du livre qu'elle apporte...

— Tu sais, c'est le même que celui que j'avais quand j'apprenais à lire... Que j'y arrivais pas...

Jeanne se souvient. Marc déboulant en larmes au beau milieu de sa cuisine après l'école. Adrien lui prenait le livre et sans rien dire, l'ouvrait. Quand Marc s'approchait Adrien demandait :

— Raconte-moi !

Et ses yeux brillaient d'envie. Marc, alors, pouvait à nouveau regarder la page.

— Tu disais : « Là c'est chat. »

— Où ça le chat ? demandait Adrien.

— Et toi, redevenu patient, tu montrais : « Là ! C'est écrit là ! »

Adrien posait son doigt tout près du tien et il répétait : « chat ! » Puis il disait :

— C'est drôle, un chat qui commence par un petit escargot. Un petit escargot tout chaud ! Et tu riais soudain ! Tu te souviens comme tu riais ?

Il se souvient, se revoit petit, debout près d'Adrien. Puis il se voit penché sur le même livre à côté de Sarah.

Marc et Jeanne mangent en silence et c'est comme s'ils parlaient encore, tant les images ne cessent d'affluer dans leurs têtes : images renaissantes d'Adrien, incertaines de Sarah. Parfois le sourire de Jeanne disparaît et Marc, alors, voit sa main qui frôle les feuilles devant elle. Marc suit des yeux ce mouvement du visage où hésitent la tristesse et la joie. Il sent le même au fond de lui. Il cherche. Mais il est sans image encore pour ce qui n'a pas été dit ; pour la tristesse ; pour la petite pièce sombre de la maison de Jeanne dont il s'est rappelé chez Sarah.

Après le repas Jeanne lave la vaisselle et rit en disant :

— Tu te souviens comme il faisait, Adrien ?

Marc se souvient du bruit, de l'eau partout

dans la cuisine ; il rit aussi en déposant les verres au fond de la bassine. Quand le soir vient, Jeanne verse du café dans la casserole en fer, comme autrefois. Pendant qu'il chauffe, elle pose deux tasses sur la table. Marc les voit. Il ne sourit plus. Quand Jeanne croise son regard devenu grave, elle est surprise. Elle regarde les tasses. Dès qu'elle comprend, ses yeux s'affolent. Très vite elle dit :

— Ah c'est vrai, tu ne bois pas de café !

Elle en prend une, se détourne pour la ranger. Marc voit son dos qui tremble. Quand elle revient, elle sourit à nouveau mais ce n'est plus pareil. Dans ses yeux la tristesse a retrouvé sa place. En plus du souvenir d'Adrien, il y a maintenant son absence ; et pour Marc, le mystère de sa disparition perdue dans sa mémoire. Il se lève, ouvre un tiroir, prend une feuille blanche qu'il pose sur la table. Dessus, une à une, il place les feuilles. Ses mains les font glisser l'une sur l'autre, les rapprochent, les éloignent. Enfin il les groupe dans un coin, les assemble en étoile comme les feuilles de noisetier. Jeanne suit chaque temps de la danse des feuilles mortes sur la feuille blanche. Elle ne dit rien, prend sa tasse, commence à boire, les yeux fixés sur les mains de Marc.

En partant il embrasse Jeanne, puis il regarde les trois feuilles et dit :

— C'est un oiseau.

Alors il pense au hibou de Sarah et ajoute :

— Celui-là, c'est un oiseau qui vole !

Et aussitôt, l'image du pic-vert vient remplacer celle du hibou mort.

Longtemps, Jeanne reste assise devant les trois feuilles mortes. Aujourd'hui on a reparlé d'Adrien. C'est si doux ce retour, que pour un peu elle se croirait dans la maison d'avant ; qu'elle se croirait heureuse... Quelque chose l'en empêche. Elle regarde les feuilles. Ses mains les touchent, essaient de les lisser, de les rendre vivantes. Sous ses doigts elle les sent rêches, cassantes. Puis elle voit le blanc du papier. Ses yeux fuient ce vide, retournent vers les feuilles... À nouveau ses yeux tombent dans le blanc. Alors, sa main se raidit sur les feuilles et les froisse longuement. Quand elle se rouvre, tout tombe en miettes. Jeanne regarde, étonnée. Soudain elle se souvient. Les petits points noirs des feuilles font comme les taches d'ombre ce soir-là, sur le drap d'Adrien, dans la petite pièce sombre...

17

Ce matin-là, tandis que dans l'immeuble blanc de Jeanne, les mots retrouvent les images du passé, Sarah marche à pas lents sous les grands arbres.

En se levant, elle a écouté longtemps, cherchant des bruits dans la maison. Tout était parfaitement silencieux. Inquiète elle est venue dans la cuisine et là, elle a trouvé Amande endormie sur la table, la tête dans le creux de ses bras. Près de sa tête, le livre était ouvert, et sur la page il y avait quelques ronds pâles : les ronds de l'eau bue par le livre. Ainsi, Sarah avait su que cette nuit, quelqu'un pleurait vraiment. Que ce quelqu'un, c'était sa mère.

À présent le soleil monte le long du ciel. Elle marche lentement, tenant le livre bien serré dans le creux de sa main ; n'osant l'ouvrir ; ayant peur qu'Amande en y pleurant ait posé sur les pages quelque chose qui les efface. Alors, elle attend que la peur quitte le livre pour qu'en l'ouvrant, au-delà des larmes d'Amande, elle puisse redire les mots de Marc. Puis elle se baisse, pose le livre à plat dans l'herbe et va s'asseoir plus loin. Le vent bouscule le feuillage, elle l'entend qui tourne les pages. Alors elle s'approche et regarde. Sur la page, une femme tient un enfant. Tout près il y a un homme qui les regarde et qui sourit. Sarah est surprise. Elle a l'impression qu'elle connaît cette image. Elle ferme les yeux. Dans sa tête, l'homme continue à sourire et c'est chaud et tranquille comme il y a très longtemps ; et c'est si vieux qu'elle ne se souvient pas.

Quand elle rouvre les yeux c'est Amande qu'elle aperçoit tout près de la maison. Elle porte son grand chapeau noir. Sarah repense aux larmes sur la page et s'enfonce sous les arbres, aussi loin qu'elle peut. Quand le grillage l'arrête elle comprend qu'elle est

arrivée. Sans le savoir, c'est là qu'elle allait. Elle s'assied, rouvre le livre à la page de l'arbre, pose son doigt sous les mots et dit :
— La petite fille lit sous l'arbre.

Son doigt glisse plus loin sous les mots, mais en silence. Après elle ne sait plus. Elle regarde les lignes danser devant ses yeux, son doigt qui les suit sans qu'elle les dise, puis le sourire de l'homme sur l'image, l'homme debout dans la cour, bien vivant, qui la regarde et qu'elle regarde.

Quand Amande a ouvert les yeux, d'abord elle n'a pas reconnu la pièce. Puis elle s'est souvenue. Assise dans le jour blanc, elle regarde autour d'elle, cherche le livre. Sur la table il n'y a plus rien. Inquiète, elle prend son chapeau noir et sort en plein soleil. Aussitôt elle voit Sarah assise à l'ombre des arbres et le livre ouvert à côté d'elle. Et puis elle la voit s'en aller, emportant sous son bras, sans le savoir, les mots que son père apprenait à d'autres enfants qu'elle.

Amande attend longtemps, tourne tout le jour sous son grand chapeau noir à la recherche de ces choses avec lesquelles ses mains font les objets. Mais tout le jour elle pense au livre et ses mains restent vides. Elle rentre enfin, et tout en s'affairant guette par la fenêtre. Quand la nuit tombe, Sarah n'est toujours pas rentrée.

*
**

Accroupie contre le grillage, Sarah pense à cet autre jour où il n'y avait personne et où elle ne savait pas. Elle se sent de nouveau perdue. Sans Marc, elle ne sait plus rien.

Et c'est alors qu'elle l'aperçoit. Il marche à pas lents dans le haut de la cour, tournant et retournant comme il fait au milieu des enfants. Mais aujourd'hui il n'y a personne. Sarah a presque envie de rire devant ses grands pas inutiles. Pourtant quelque chose l'en empêche. Aujourd'hui la marche de l'homme est plus lente. Il hésite, déambule entre les jeux. Sarah revoit les mains d'Amande au milieu des objets qu'elle assemble. Mais lui, c'est tout son corps qui oscille gravement, comme étonné, dans ce lieu vide.

— Peut-être que lui aussi, il croit qu'il y a école ! pense Sarah en souriant.

Et puis il commence à descendre les

marches. Apeurée, Sarah recule. À l'abri du feuillage elle le voit qui s'arrête et regarde vers elle. Sûre qu'il ne peut la voir, dans ce regard, comme hier elle se sent bien. Sans réfléchir elle rouvre le livre à la page de l'homme debout dans la cour, et elle cherche dans les mots. Puis elle pose son doigt sur l'un d'eux et du bout des lèvres, dit :

— Papa.

Quand elle regarde vers la cour elle sursaute : il est tout près, de l'autre côté des troènes. Il n'avance plus. Elle le voit qui s'assied par terre. Il baisse la tête. Sarah se dit qu'il pleure. Soudain elle a envie de courir, de lui prendre la main, de se nicher là où c'est si doux... Elle sait combien c'est doux ! Tout à coup elle revoit les grandes mains posées sur les genoux, ses mains à elle, petites, posées sur ces grandes mains... Les mains de son père ! Au moment où elle va revoir son visage, tout s'estompe. Elle ne se souvient pas. Devant elle, à nouveau, il y a l'instituteur. Il glisse sa main au sol, prend un caillou, le tourne, le pose sur un genou, en cherche un autre qu'il place près du premier... Aussitôt Sarah revoit sa mère, ses mains errant sur les racines, les plumes, les pierres, sans jamais dire un mot. Sarah revoit ces années de

silence... Au moment où la main de l'homme prend un autre caillou, elle hurle :

— Non !

Et elle s'enfuit à travers bois.

En se levant ce matin-là, il s'était soudain senti fort ; assez pour refaire ce qu'il faisait avant et le refaire sans ses enfants. C'est qu'en ouvrant les yeux, la première chose à laquelle il avait songé, c'était les cheveux clairs flottant près du grillage.

En prenant gravement le chemin de l'école, il songeait que c'était la première fois qu'il s'y rendait un jour sans école, depuis que ses enfants étaient partis. Autrefois ils couraient devant lui, pressés d'arriver dans la cour déserte où tous les jeux seraient à eux. Il les regardait un moment, rêvait à son enfance à lui puis entrait dans la salle vide pour préparer la classe du lendemain. Avant de s'asseoir il attendait encore, marchant entre les tables en songeant aux enfants de sa classe qui couraient peut-être aujourd'hui comme ses enfants. Il aimait ce moment où penser en paix à ceux qu'il voyait chaque jour sans jamais les connaître vraiment, où les rêver dans les échos des rires de ses propres enfants ; les seuls qu'il avait cru connaître...

Aujourd'hui, debout en haut des marches il les entend à nouveau rire et pour la première fois, peut y penser sans que ça fasse trop mal. Au lieu de partir vers la classe il descend l'escalier, essayant de marcher dans leurs pas pour comprendre. Puis il voit le grillage, pense à la grille qui ne retient plus rien. À nouveau il se sent seul et s'assied sur le sol comme faisaient ses enfants. Sa main prend le premier objet qu'elle rencontre. C'est un caillou. Il le regarde, essayant d'endiguer la tristesse qui afflue dans les méandres de la pierre. La tristesse se calme, et revient. Et sa main prend une autre pierre, la pose tout près de la première. Lentement, sans le voir, il construit à nouveau un mur contre les larmes. À la troisième pierre quelqu'un crie ! Il lève la tête, sort d'un coup de ses pensées. À travers le grillage, il voit l'éclair des cheveux blonds. Puis plus rien. Sans réfléchir il tend les bras. Les cailloux tombent.

Sarah a eu si peur en voyant l'homme lever la tête, qu'elle n'arrête de courir qu'à l'orée du bois. Là elle reprend son souffle, regarde la maison. Déjà le soir tombe, la lumière brille dans la cuisine. Sarah attend. Elle voit la cuisine qui s'éteint, la chambre d'Amande s'éclaire. Plus tard tout retombe dans le noir. Alors seulement, elle rentre. Dans la cuisine elle se dirige à tâtons vers la table. Dessus elle devine un grand rond. Elle s'approche, ses doigts s'y promènent, s'y enfoncent... Une tarte aux pommes ! Ses doigts enchantés suivent avec délice le grand escargot de sucre que sa mère a su faire seule ! Puis, elle le prend tout entier dans ses mains et elle y mord à pleine bouche, acceptant le cadeau de sa mère pour fêter son retour.

En quittant la cuisine, à côté du plat vide elle pose le livre, ouvert à la page où elle l'a trouvé le matin, la page du chat qui boit le lait. Avant de se coucher elle regarde par la fenêtre les branches des grands arbres ployer puis revenir ; revenir, toujours, sans qu'elles cassent jamais.

Cette nuit-là, Amande ne trouve pas le sommeil. Elle se relève, revient dans la cuisine, allume. Sur la table elle voit le plat vide et se sent rassurée. Puis elle voit le livre et reconnaît l'image. Alors elle s'assied, redit :

— Mamie va faire les courses, tourne la page.

Et toute la nuit, elle tourne les pages une à une et les images défilent : l'enfant blond et le chien, près d'eux l'arbre abritant la petite fille qui lit ; l'homme dans la cour au milieu des enfants. Page à page, elle retrouve chaque soirée près de Marc, quand penchée par-dessus son épaule elle le regardait préparer les mots du lendemain pour sa classe. Page à page, elle refait sans le savoir le parcours de Sarah.

Au petit matin elle referme le livre, et pour la première fois, a l'impression de poser son passé. Elle va à la fenêtre et voit le jour qui pointe par-dessus les grands arbres.

Ce soir-là, allongé dans son lit, Marc entend les arbres chanter, aussi doux que la voix de Jeanne aujourd'hui. Puis il voit tout à coup les branches qui se tordent et tissent un réseau noir sous le grand ciel opaque. Soudain il sent que quelque chose se terre au creux des souvenirs, l'image de la petite pièce sombre revient, il a peur, veut crier... De toutes ses forces, il cherche dans sa tête le visage de Sarah.

18

Dès qu'elle ouvre les yeux Sarah découvre le brouillard collé sur le carreau. Dehors on ne voit rien. Ni le pré, ni surtout les grands arbres. Autour de la maison il n'y a plus rien.

Dès qu'elle sort dans le couloir, la peur revient. Ne pas croiser sa mère !... Bien sûr il y a eu la tarte encore chaude, douce aux doigts, douce au ventre ; bien sûr elle pourrait en parler ; mais dans l'escargot jaune des fruits, il y a ceux plus petits des yeux blancs du hibou. Et puis sans les grands arbres pour lacer des murmures esquissant des mots, elle se sent tout à fait perdue. Alors, la mort dans l'âme, au lieu de descendre elle reprend le chemin du grenier. Tout le matin elle évite le miroir, fait mille fois le chemin dans sa tête : les grands arbres, le petit bois, l'école où Marc attend...

Pour se rendre à l'école, malgré le brouillard, jamais Marc n'a couru si vite. C'est qu'au réveil, la peur restait tapie dans le coin des paupières, et seul le rire de Sarah pouvait la déloger.

La matinée est longue, à espérer voir apparaître au loin les cheveux de Sarah. Quand la cloche sonne il bondit. Arrivé au grillage, il ne trouve personne. Son cœur cogne fort, comme pour la peur. Il refuse de l'entendre, se dit qu'elle a traîné en route, qu'elle a oublié l'heure... C'est qu'il en a tellement besoin, ce matin, du regard de Sarah ! De l'autre côté du grillage le brouillard couvre encore le noir des arbres et le vert de l'herbe et le brun de la terre et les rend presque beiges ; doux comme un grand tapis de laine. Marc rêve de voir Sarah arriver sur ce grand tapis-là. Quand la cloche sonne, elle n'est toujours pas là.

Là-haut, M. Berne regarde. Car il attend aussi.

Le jour coule lentement, tendu entre deux peurs : celle du matin encore vive, celle du soir qui approche. Chaque fois que la cloche a sonné, Marc a couru jusqu'au grillage, espérant plus fort à mesure que le jour avançait. Chaque fois il s'est heurté à l'absence de Sarah. Dans son ombre, tout le jour, M. Berne a promené sa peur, sans rien oser dire de ces pans de passé se bousculant en lui.

La sonnerie retentit pour la fin de la classe. Marc avance lentement, ignorant les yeux de M. Berne qui le suivent jusqu'à la porte. Arrivé à la grille, il est tout à coup incapable d'aller plus loin sans avoir vu Sarah. Alors, sans réfléchir, il longe la grille et reprend le chemin du petit bois. Et il va vite, luttant contre la peur qui lui murmure de rebrousser chemin. En passant près du noisetier, il repense aux châtaignes, à l'oiseau. Il sait alors qu'il ira jusqu'au bout. Enfin, entre les derniers arbres il voit la maison. Autour, rien ne bouge. Il avance et tremble de plus en plus. Soudain, il voit les grands arbres et s'arrête. Ses yeux grimpent le long des branches, jusqu'au sommet. Là-haut il sent le doux vertige des dernières feuilles offertes au ciel. Son corps suit ce mouvement, puis se calme. Alors, il se remet en marche et son pas est tranquille.

La porte est grande ouverte, pourtant il n'ose entrer, fait le tour, espérant voir Sarah apparaître. Et puis, jetant un œil par une fenêtre il sursaute et recule. Dans la pièce une femme est assise. Marc voit son dos. Dans les reflets du corsage il joue à deviner ses gestes. Soudain, à regarder ce dos il en revoit un autre, chez Jeanne, il y a longtemps. Celui d'un homme, il se souvient. Il tient dans ses mains un secret. Assis par terre, Marc doit trouver. C'était toujours ainsi qu'il recevait un cadeau, croyant que c'était de ces mains cachées que naissait l'objet, ces mains de magicien. Et le magicien se nommait Adrien. Soudain vient une autre image : il revoit ces mêmes mains, immobiles, posées sur du blanc... La peur accourt, avale l'image. Mains magiques, mains dormantes, une seconde il a revu la petite pièce sombre de Jeanne... Il regarde le dos de la femme qui s'agite doucement et ce dos vivant le rassure.

Quand la nuit vient, il repart sans avoir vu ce que faisaient les mains ; sans avoir vu Sarah. Il retrouve sans mal le chemin de l'aller. Ça le rassure, de connaître un chemin qui mène à Sarah. En repassant devant le noisetier, il cueille une noisette et la mange. C'est bon. Ça craque sous la dent. Surtout, c'est différent de tout ce qu'il a mangé avant...

*
**

Tout le jour, Amande ne se montre pas. Elle se sent prête à accueillir Sarah mais il faut que Sarah vienne... D'abord, de sa chambre, Amande entend là-haut le plancher qui cra-

que. Elle tend l'oreille. Presque aussitôt, l'escalier du grenier grince. Elle comprend alors que Sarah ne vient pas. L'attente commence, douloureuse, en réveillant une autre, celle d'un homme jamais revenu. N'y tenant plus, à un moment elle va jusqu'à l'entrée, pose le pied sur la première marche... Elle revoit le regard effrayé de Sarah fixé sur elle. Figée à l'idée que Sarah a peur d'elle, elle retire son pied et s'en va. Enfin, elle vient dans la grande pièce, touche un à un les objets, et quand le mouvement de ses mains impose le calme à ses pensées, elle s'assied au milieu d'eux, n'étant soudain plus du tout sûre de pouvoir leur échapper et retrouver des mots. Le soir, dans la pénombre, elle prête l'oreille aux bruits qui viennent de l'étage. Sans trop y croire, elle espère encore Sarah. Et elle a peur. Ses mains fouillent dans la boîte où s'entasse tout ce qu'elle ramasse, dont elle n'a su que faire encore. En sortant de la boîte ses doigts accrochent un tissu, le reste du voile où elle a taillé celui de Pluche. Sentir sa douceur contre sa paume l'affole. Pluche ! La femme sans yeux, qui rêve et qui attend ! Prise dans tant de douceur ! Toute celle possible contre la douleur de l'attente ! Pluche, c'était son deuxième objet ; juste après le hibou, quand elle avait cru pouvoir vivre sans Marc, pouvoir dire à Sarah. D'abord, elle avait fait le voile, cherchant longtemps le tissu le plus doux et les plis les plus tendres, enroulant savamment le visage dans le rose. Et puis, elle avait mis le gant, main ouverte et qui pouvait attendre et saurait recevoir. Mais à la fin, elle n'avait pu placer la bouche et ses doigts tremblants avaient fait remonter le voile, lentement, jusqu'aux yeux. C'était encore trop tôt. En retrouvant ce tissu rose, Amande se demande tout à coup quand donc viendra ce temps des mots qu'elle avait cru si proche...

C'est alors qu'elle sent un regard dans son dos ! Ce ne peut être que Sarah ! Elle n'ose pas se retourner, ses doigts s'énervent dans le tissu, forment une boule. Ses mains plongent à nouveau dans la boîte, sans qu'elle décide vraiment. Sur la boule, viennent se poser deux perles bleues. Des yeux. Pour regarder le monde. Puis, du bout des doigts elle ramène une feuille d'automne sèche et craquante, la pose plus bas... La bouche est là ! Enfin ! Alors, elle ose se tourner vers la fenêtre pour regarder Sarah.

Et elle ne voit personne ! Ses mains lâchent aussitôt le tissu, elle marche jusqu'à la porte.

Sur le seuil elle s'arrête. Là-bas l'enfant marche à grands pas. Elle le reconnaît, comprend que c'est sous ses yeux qu'elle a posé la bouche. Dans la nuit ses lèvres crient : Marc ! et puis tremblent.

Là-haut, Sarah a ouvert tous les livres, essayé tous les mots. Plus elle en a ouvert, plus elle a senti grandir la solitude. À la fin, elle a entendu l'énorme silence de la maison transie d'absence, a regardé le miroir avec la tentation d'écouter les histoires, et pour ne pas céder, a saisi tous les livres abandonnés sur le plancher, les a empilés au bas de la lucarne et est grimpée dessus. Et elle est restée là, à regarder le haut des arbres et à écouter leur murmure dans le jour redevenu clair.

À présent la nuit tombe. Sarah le sent aux ombres qui s'allongent. Dans la maison, c'est toujours le silence, qui recommence à lui faire peur. Et tout à coup, elle entend la voix de sa mère. Et un mot. Marc. Aussitôt elle se hisse dans la lucarne, et dans les ombres elle le voit qui s'éloigne. Elle manque crier, ne dit rien, le regarde qui s'en va et puis ses yeux se

brouillent. Alors, en écho à la voix de sa mère, tout bas, elle dit :
— Marc.

Et il lui semble que le murmure des feuilles reprend le mot et le porte d'arbre en arbre jusqu'à lui. Elle rouvre enfin la porte et descend l'escalier.

Marc a disparu depuis un moment. Pourtant, sur le seuil, Amande ne bouge pas. Elle laisse ce prénom se prolonger dans sa bouche. Puis elle se tourne pour entrer. Sarah est là. Debout sur la dernière marche, elle la regarde.

Amande a une envie furieuse de la prendre dans ses bras. Elle ne bouge pas. Un sourire involontaire vient sur ses lèvres. C'est cela que Sarah regarde avant d'entrer dans la cuisine. Amande la suit, la voit s'asseoir devant le livre, l'ouvrir et poser son doigt sous les mots. Alors elle vient s'asseoir près d'elle, regarde les mots que le doigt montre et au même instant, elles disent :
— Le chat boit le lait.

Surprises, elles se regardent, et puis éclatent de rire. D'un coup la peur s'en va.

Après la première page elles en regardent d'autres. Amande lit en suivant le doigt de Sarah et c'est comme si ce geste lui redonnait

AUTO
MAISON
PLUIE
SOLEIL
ARBRE
LE POISSON . L'EAU

les mots. C'est seulement après toutes ces pages et ces mots qu'Amande peut regarder Sarah avec des yeux calmes et dire :

— Viens !

Sarah la suit dans la grande pièce. Y revenir l'effraie un peu. Amande prend le hibou, ses doigts courent sur ses yeux-coquillages. Elle dit d'une voix très basse :

— Ce matin-là, il faisait encore nuit quand la grille a grincé ; doucement... si doucement que je l'ai à peine entendue...

Debout près d'elle, Sarah est prise entre deux peurs : celle que les mots ne viennent pas, celle des mots qui vont surgir.

— Sur le bois des volets, le jour faisait une jolie tache blanche, très légère ; et la grille a grincé, vois-tu ; si doucement que j'ai failli ne pas l'entendre...

Sa voix s'arrête encore. Sarah a envie de s'enfuir.

— Le jour venait tout contre le volet tu vois, et la grille... La grille a grincé... comme un cri... comme...

Sarah tremble, et cherche dans sa tête une image pour combattre sa peur. Elle lance :

— Un cri d'oiseau ?

Amande sourit.

— Un cri d'oiseau...

Une seconde, sa voix rêve.

— La grille a fait son cri d'oiseau. D'oiseau blessé. Il partait. J'ai compris qu'il partait.

Sa voix retombe dans le grave. Sarah essaie d'imaginer un oiseau qui s'envole.

— J'ai eu mal. Si mal. Tout le jour j'ai eu mal, comme si le jour n'avançait pas, restait cette tache blanche collée sur le volet. Puis il y a eu l'heure de ta sieste.

Pour la première fois depuis qu'elle parle, elle regarde Sarah. C'est seulement là, que Sarah comprend qu'elle existait déjà, dans cette histoire. Alors, elle s'assied.

— L'heure de ta sieste, l'heure où les feuilles faisaient des ombres douces sur nos visages et sur nos mains. À cette heure elles étaient mêlées. Les siennes étaient très grandes, je me souviens ; si grandes que j'avais du mal à les tenir tout entières…

Amande rit. Le passé reprend vie.

— Souvent ses mains glissaient… Déjà elles m'échappaient, peut-être… Ce jour-là, j'eus les mains si vides…

Sarah tremble à nouveau dans le son de la voix tant elle est grave.

— Alors j'ai pris le morceau de racine. Elle était dure. J'ai suivi les nœuds rugueux du bois jusqu'au bout des branches, et là, j'ai posé les deux yeux. Deux coquilles. Une au bout de chaque branche.

Sarah regarde les mains d'Amande refaire le chemin jusqu'aux yeux. Elles s'y enroulent et se referment. Sarah songe aux mains de son père la retenant, il y a longtemps. Soudain elle a grande envie de pleurer. Elle lève la tête, croise les yeux de sa mère, voit ses mains. Voit qu'elles sont grandes ouvertes. Et s'y laisse tomber avant de fondre en larmes.

Quand il éteint dans sa chambre, ce soir-là, Marc voit d'abord les feuilles, posées devant ses yeux comme des paupières très douces. Il les entend qui craquent, attend le sommeil qui ne vient pas. Et c'est à cause des feuilles, du bruit des feuilles qui craquent, lentement, et de plus en plus fort, qui craquent au ralenti comme un cri rauque sous un pied lourd, si lourd... Il allume, en sueur. Il étouffe. Il va à la fenêtre. Tout est noir comme une encre épaisse où l'on ne peut nager. Il sent qu'il se noie, ferme les yeux, écoute son cœur qui cogne, attend. Autour de lui tout tombe ; les feuilles, les murs, la nuit. Son front heurte la vitre et il rouvre les yeux. Alors il pense aux mains d'Amande, cachées, qui s'agitent autour d'un secret. Cette image le rassure. C'est en y pensant qu'il peut dormir enfin.

Les jours suivants, Marc ne voit pas Sarah. Il est inquiet, pourtant il ne se sent pas triste. Il sait que là-bas, on l'attend. Mais il a peur. Chaque fois qu'il regarde au-delà du grillage où rien ne vient plus le rejoindre, il repense à des mains immobiles, ouvertes et vides, et ne sait pas pourquoi.

19

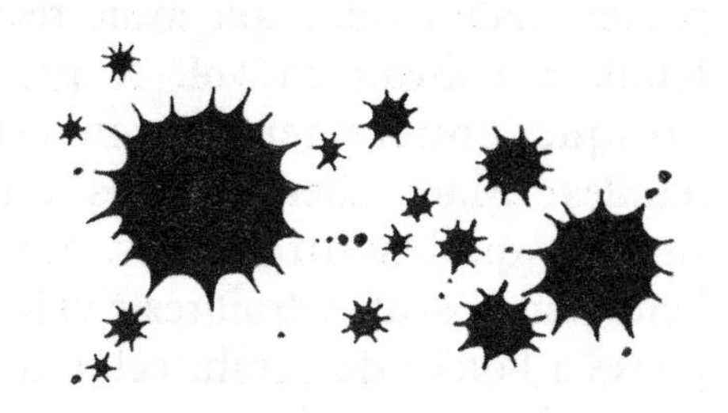

Quand il entre chez Jeanne le mercredi suivant, Marc sent tout de suite que quelque chose a changé. Il ne sait pas quoi. Marchant vers la cuisine, il aperçoit tout au bout du couloir une seule lumière. Précise. Un rond clair sur la table. Alors il comprend. Soudain c'est comme avant, dans la maison des arbres où la lumière ne descendait pas du plafond. Et puis il voit la lampe et son cœur tremble : dans les arabesques qui l'ornent, si doucement enlacées qu'il y voyait partout des cœurs, il reconnaît la lampe ancienne qui les éclairait autrefois. Dans son halo il voit le papier blanc, celui qui avait reçu ses trois feuilles ; l'oiseau en vol. À présent, il est presque entièrement recouvert d'autres feuilles. Marc cherche dans cet amas les siennes, qu'il ne trouve pas. Ses yeux tombent dans le seul endroit resté vide. Bien sûr il pense à l'objet de Sarah, celui devant lequel elle avait dit :

— Peut-être qu'il y a toi…

Depuis qu'il est entré, Jeanne l'observe en silence. Elle regarde les feuilles :

— J'ai fini l'oiseau… enfin presque…

— Il reste un peu de blanc, dit Marc en pensant que vraiment, ça ne ressemble pas du tout à un oiseau.

— C'est vrai, dit Jeanne, Il reste un peu de blanc.

Et la peur ne s'éteint pas. Et Marc dit, regardant Jeanne :

— C'est quoi, le blanc ?

Jeanne voit la peur dans ses yeux. Elle sait que l'instant est venu de la dire. Mais pour la peur, la vraie, peut-être n'y a-t-il jamais eu de mot…

Elle regarde Marc et elle cherche ces mots, qui peuvent recouvrir exactement le peu de blanc resté à découvert. Si peu de blanc. Qui fait si mal.

Elle respire profondément, et elle dit :
— Viens.

Elle va dans le couloir, s'arrête devant une porte : sa main baisse la poignée. Marc franchit le seuil derrière elle. Jeanne avance vers un lit. Tout de suite Marc reconnaît le grand lit de la chambre, là-bas, dans la maison des bois. Jeanne saisit dans ses mains le drap blanc. Lentement elle le tire vers l'oreiller, n'osant pas le lâcher. Soudain Marc sait qu'il est de retour dans la petite pièce sombre, transi de peur. Il se souvient, tombe en pleurs contre Jeanne dont les mains s'ouvrent, retenant Marc, tandis que le drap tombe.

Marc dit :

— Je le savais, qu'il était mort.

Jeanne, en écho :

— Moi aussi je voulais oublier...

Elle avait toujours eu des gestes lents et larges en attente de quelqu'un. Et ce quelqu'un était venu et ses gestes si larges s'étaient refermés sur ceux de l'autre ; ceux d'Adrien. Puis, il était parti. Sans le vouloir. C'était bien la seule chose qu'elle n'avait pas prévue. Jamais. Qu'il ne vienne pas elle y avait pensé ; que celui qu'elle attendait n'existe pas. Mais qu'il reparte ! Sans elle !

Ils restent longtemps immobiles.

— Quand tu es parti en me laissant l'oiseau de feuilles, dit enfin Jeanne, je me suis rappelé ce jour-là... Tous les oiseaux par la fenêtre... Dessous la feuille était si blanche !... Aussi blanche que le drap d'Adrien... J'ai essayé de recouvrir la feuille ; mais tu vois, il reste toujours un peu de blanc. Un peu de ce jour-là. Alors j'ai su qu'il fallait tout rouvrir...

Marc se redresse, regarde dans la pièce. Tout est là, sous ses yeux : le buffet aux tiroirs gorgés de trésors, la grande table de bois sur laquelle il posait son livre sous les yeux d'Adrien ; et sur la table, le livre ; le même que celui que Sarah apporte. Marc se sent revenu dans la maison d'avant. Il effleure le livre sans oser l'ouvrir.

Dans la cuisine ensuite, leurs mains jouent longtemps dans les feuilles, faisant surgir des dessins là où il n'y avait que la peur. Devant les formes qui défilent, Marc pense tout à coup aux objets chez Sarah, et dit :

— Là-bas, la femme aussi elle fait des oiseaux morts.

Aussitôt les mains de Jeanne se posent.

— Quelle femme ?

— La maman de Sarah. Elle fait des oiseaux morts et des objets bizarres.

Jeanne demande :

— Tu vas revoir Sarah ?

Plus qu'une question, c'est une demande.

*
**

Le mercredi suivant, c'est fort des mots de Jeanne que Marc reprend le chemin du bois. Dans sa tête flottent des images de grands ciels soutenus par des arbres, de maisons tapies dans le feuillage, de plumes soulevées par le vent, de voiles roses, entourant des visages silencieux. Bientôt, face à lui, frappées par le soleil, les fenêtres de la maison brillent comme deux miroirs.

Devant la porte ouverte Marc hésite, repense à la prière au fond des yeux de Jeanne. Il aperçoit le gros œil blanc qui le regarde et pour se donner du courage, lance :

— Salut Théodule !

Puis il avance et passe la main sur les yeux blancs, faisant sans le savoir le même geste que Sarah. Debout sur le seuil de la pièce, il regarde longuement chaque objet, retrouvant pour chacun les mots de Sarah. Quand ses yeux tombent sur le voile de Pluche, Marc comprend tout à coup que c'est pour elle qu'il est venu. Il approche, sa main glisse vers le bas du visage, saisit le voile, le tire vers lui...

— Non. Elle n'a pas de bouche, dit une voix derrière lui.

Marc sursaute, se retourne. Amande se tient sur le seuil, à contre-jour. Marc ne voit rien de son visage. Le ton très doux de sa voix le rassure. Et elle n'ose rien, fascinée par ces doigts glissés dans le tissu. Et puis, il y a ce prénom qui la trouble. Lui, cherche à voir ses mains, à savoir si elles sont aussi grandes que les mains d'Adrien.

Et puis, Amande voit la main de l'enfant

prête à lâcher le voile. Elle fait un pas, se lance, bute sur les premiers mots.
— Tu sais... Tu sais si elle n'a pas de bouche, c'est parce qu'elle n'avait pas de mots... pas de mots pour ce qu'elle voulait dire...

Peut-être aujourd'hui n'y en a-t-il pas plus... Mais elle voit la main de Marc qui remonte, reprend le voile.
— Ce qu'elle voulait dire c'était trop difficile avec les mots. Il fallait autre chose... Des voiles, peut-être...

Les doigts de Marc se cachent au fond des plis. Il se revoit petit dans la pièce sombre où Adrien a les yeux clos. Surpris, il sent la peur qui revient...
— Ce voile, je l'ai choisi parce qu'il est doux quand on le touche et doux pour le regard, à cause du rose.

En le regardant Marc pense aux robes d'été de Jeanne, toutes fleuries ; le jour de la mort d'Adrien, dans la petite pièce sombre, elle portait une robe noire.
— J'ai pris ce voile et j'ai cherché les plis, le plus possible, pour qu'elle soit bien au chaud. Et puis j'ai mis le gant comme une main qui attend...

Qui attend qu'on la tienne, finit-elle dans sa tête. Marc regarde ce geste arrêté. Il se souvient. Dans la petite pièce sombre quelqu'un était allongé sous un drap sans pli ; sans rien pour se cacher. Dessus, il y avait aussi un geste arrêté : les mains de Jeanne, étendues, deux oiseaux blancs sur le point de tomber. Tenant le drap si haut par peur de le lâcher. Marc sait qu'il va tomber, couvrir le visage d'Adrien, fermer ses yeux à tout jamais, l'emporter loin, si loin...

Le drap tombe. Alors il y a eu le cri de Jeanne en même temps qu'Adrien s'en allait. Marc sent sa bouche qui s'ouvre en grand, il sent le même cri qui monte du fond de lui, du fond de ces années pour empêcher Jeanne de partir ; le quitter... Le laisser seul...

Sa voix monte. Il va hurler. Quelqu'un lui prend la main. Amande est là. Elle lui sourit. Marc sent sa main. Elle est grande. Elle est chaude.

Le retour est très doux. Marc a le corps rempli d'images de Pluche, de Théodule, du hibou à moustache. Amande les lui a contées longuement, dans la pénombre, à l'abri du temps qui coule. Ce grand cri c'est Amande, sans le vouloir, qui lui en a rendu le souvenir. À mesure qu'Amande disait, Marc se sentait plus près de Jeanne. À présent, il marche doucement. C'est qu'il a dans les mains l'oiseau blanc, cette image du grand cri du départ : le hibou d'Amande. C'est à Jeanne qu'il le porte. Pour qu'elle revienne.

Restée seule, Amande avait attendu, regardant chaque objet comme pour la dernière fois. Puis elle avait pris le rideau et elle avait tiré. La lumière entrait enfin.

Chaque jour, Sarah montait au grenier. Elle savait qu'il allait revenir. Derrière le bruit des arbres elle en guettait un autre : celui de pas dans l'herbe du pré. Elle l'entendit venir, ne bougea pas. La rencontre n'était pas pour elle, même si c'était bien elle, au fond, que l'on venait chercher.

Elle entendit le cri, s'enfouit la tête dans les bras. Puis la voix de sa mère fit un murmure longtemps. Quand Marc s'en alla elle eut peur qu'on la laisse. Elle pensa aux bras chauds de sa mère, ne cria pas.

Quand elle descendit elle trouva les rideaux grands ouverts. Et sa mère pour lui dire :

— Demain, je t'emmène à l'école.

* * *

Dès que ses yeux se posent sur le hibou d'Amande, Jeanne se met à pleurer. Il n'y a pas besoin de mots. Alors, au lieu de parler de Sarah, Marc lui parle d'Amande, de ses mots, de ses objets. De ses peurs, aussi, et puis de sa tristesse. C'est comme ça que commence l'idée de la rencontre...

20

Elles passent l'angle du bois et elle est devant elles. L'école ! Amande lâche la main de Sarah et s'arrête. Sarah aussi. Là se décide sa route. Les yeux d'Amande reprennent leur éclat sombre. Bien sûr, ce n'est pas la même école. L'autre était plus petite ; plus blanche, aussi. Mais dans ces paquets d'enfants elle se revoit encore ; elle revoit Marc, et son sourire, et cette légère fatigue au fond des yeux. Soudain une grande tendresse l'emporte et elle dit :

— Va !

Sarah hésite et soudain elle se met à courir,

de toutes ses forces. Amande voit Marc qui attend. Bientôt sur la cour, leurs deux ombres ne font qu'une.

Bien sûr Marc savait qu'elle viendrait. Pourtant, quand il les voit marcher serrées l'une contre l'autre entre les arbres son cœur s'emballe. D'abord elles regardent, si longtemps qu'on croirait que rien d'autre ne va arriver. Il a si peur que rien n'arrive. Soudain, Sarah prend son élan.

Dans la cour, M. Berne voit Marc foncer vers la grille. Il sent ses mains trembler. Sans réfléchir il suit Marc et il les voit ; et n'a d'yeux que pour cette femme, si raide et qui manque de tomber à chaque pas. Dans cette peur il évite de reconnaître la sienne. Sarah se détache. D'un seul coup. Aussitôt il revoit le jardin, son grand vide, le silence. Il regarde Sarah, la femme raidie comme si un morceau d'elle venait de la quitter et il tombe dans cet espace qui grandit peu à peu entre elles.

Puis Sarah entre. Et tout à coup dans sa poitrine, tout s'apaise.

Conduisant Sarah vers la cour, Marc se retourne. Il voit Amande, le dos courbé, s'éloigner lentement. C'est comme ça que s'installe l'idée de la rencontre.

Ce premier soir d'école, avant de monter se coucher, Sarah entre dans la grande pièce, s'approche de la planche où sa mère a collé des objets. D'abord elle se raconte le bois de mousse et de buissons, le chasseur parti chercher son ami l'ours, puis elle regarde le vide, longtemps. Comme si c'était la dernière fois. Enfin, dedans, elle pose le livre.

Dans le hall, elle croise Amande. Sa main tourne une clé sur un objet qu'elle pose. Sarah reconnaît un réveil. En montant l'escalier, Sarah entend le tic-tac et le trouve joli. Elle se dit qu'on dirait la voix du hibou.

ÉPILOGUE

À l'abri du bois, Marc regarde de tous ses yeux. Il regarde la rencontre. Là-bas, incliné vers le sol, le chapeau noir d'Amande trace sur le mur une ombre claire. Dessous, elle scrute le sol.

Tout près, Jeanne sort du bois. Marc suit ses pas tremblants, la lente avancée de son grand chapeau jaune qui va vers Amande comme un bateau fragile. Une seconde, il s'arrête. Marc pense au naufrage, ferme les yeux...

Ce matin, il est allé chercher Jeanne et l'a lâchée là. Tout ce champ à traverser, seule, vers Amande qui ne l'a pas vue !

Marc sent les doigts de Sarah se glisser dans les siens, il les serre, rouvre les yeux. Le chapeau jaune avance, plus tremblant que jamais, jetant sur le sol une ombre noire. Quand Jeanne est près de la maison l'ombre de son chapeau commence à grimper sur le mur. Elle s'arrête près de l'autre. Amande tourne la tête, la voit. L'ombre claire bouge un peu.

Sur le mur, un long moment, les deux ombres sont côte à côte ; immobiles. Et puis elles se rapprochent, glissent l'une sur l'autre ; l'une en l'autre.

Alors Marc et Sarah s'en vont ensemble vers l'école. À nouveau, au-dessus de leurs têtes, les arbres tiennent le ciel.

Là-bas, M. Berne les attend.

Aventure

JEAN CAZALBOU-MARIE FÊTE
L'énigme de la main verte

MICHEL COSEM
Les traces sauvages de l'Estelas
La chevauchée de la délivrance
L'enlèvement de Brunissen
La chanson du troubadour
Le chemin du bout du monde

LOUIS ESPINASSOUS
Jean de l'Ours

GIORDA
Les naufragés du Bounty
Prix de la Société des Gens de Lettres-1987

ALIM HEKMAT
Pour l'amour d'un cheval

YVES HEURTÉ
Les chevaux de vent

GÉRARD HUBERT-RICHOU
L'épreuve des trois causses

ROGER JUDENNE
Quand naîtra le lama bleu

SARITA KENDALL
Le récif de la cloche

JEAN MÉRILLON
Émeline et le talisman

CATHERINE MISSONNIER
Le mystère de la grange aux loups

HÉLÈNE MONTARDRE
Les enfants sous la lande

JOSETTE RAUZY
L'Aventure a les pieds mouillés
L'ânesse en jupons

JACQUELINE SEYRAL
Le fils du chef canaque
L'année-Zanzibar

CHANTAL TOUZET
L'amulette du grand chef Yañoama
La dernière bataille de Pépé Caporal

Poésie

VÉNUS KHOURY-GHATA
Leçon d'arithmétique au grillon

HUBERT MINGARELLI
Le secret du funambule

Nouvelles

JEAN-MARIE ROBILLARD
La route des matelots
Jean des Oiseaux

ŒUVRE COLLECTIVE
Nouvelles 100 %

JOCELYNE SAUVARD
Contes sous la lune

Historique

ALAIN BELLET
Matelot de la Royale

PIERRE CORAN
Le commando
des Pièces-à-Trous
La fronde à bretelles

MARIE-PAULE DESSAIVRE
Du givre en mai

MARIE-CHRISTINE HELGERSON
Vers l'Amérique

DOROTHY HORGAN
Au fil de la guerre

YVON MAUFFRET
Le jardin des enfants perdus
Pilotin du cap Horn

HÉLÈNE MONTARDRE
La colline aux oliviers

MICHEL PIQUEMAL
Le pionnier
du Nouveau Monde

BÉATRICE ROUAULT
Raoul à la conquête
de l'Angleterre

JEAN-PAUL RAYMOND
Thierry, le chevalier sans nom

SUZANNE SENS
Mémoires d'Hubert,
écuyer de Janville
L'été dans la tourmente
Jehan du Besiau
Un drame sous l'Empire

ARMAND TOUPET
Berlin, les enfants et la guerre

Policier

ROBERT BOUDET
Du rififi dans les poireaux

MARIE-JEANNE BARBIER
Le secret du caniche

PIERRE CORAN
Terminus Odéon

E.B.P.
La bague aux trois hermines

GIORDA
Les enquêtes de Mac et Maribé
Nouvelles enquêtes de Mac et Maribé

GÉRARD HUBERT-RICHOU
Walkman

JULIE MARIVEL
L'affreuse affaire Malabarre

AMÉLIE RANGÉ
L'ice-cream était presque parfait

JACKIE VALABRÈGUE
Le secret du scarabée d'or

JACQUES VENULETH
L'assassin n'aime pas la corrida

Fantastique-SF

ANNE BECHLER
L'année de la Sauterelle

JACQUES BARNOUIN
L'Alerte Noire

ROBERT BOUDET
Objectif Terre !
Livre d'or, 1991
Les 1 000 vies de Léon Camet

CLAUDE CÉNAC
Les Robestiques

YVES-MARIE CLÉMENT
Mission aedes

MARIE DUFEUTREL
Le lutin d'appartement
Le télépiège

JOAN FLANAGAN
Mon frère et autres créatures bizarres

CHRISTIAN GRENIER
Futurs antérieurs
Le satellite venu d'ailleurs

JACQUELINE HELD
Piège sur Orlanda

MIREILLE MAAGDENBERG
La bête des hachélèmes

MIETTE MARSOL
Fifine et le fantôme

DANIEL MEYNARD
Arrête ton cinéma

GÉRARD MONCOMBLE
L'heure du rat
Prix Lire au Collège, 1988
Les yeux d'Oo

SILVINA OCAMPO
La tour sans fin

PIERRE PELOT
Le pays des rivières sans nom

MAURICE PÉRISSET
Les statues d'algues

MICHEL PERRIN
Le petit Albert et autres contes à découdre

ÉMILY RODDA
Cochon vole !

JEAN-LUC SAUCET
L'étrange voyage d'Augustin, fils d'Oxymèle
Prix Octogones, 1991

FRANÇOIS SAUTEREAU
La petite planète

HENRY THIEL
Tim
Les sirènes de Néopolis

Humour

MAX DANN
Mon meilleur ennemi
Pour tout l'or du monde
Tabasse est amoureux

PHILIPPE DELERM
C'est bien !

BERNARD FRIOT
Histoires pressées
Nouvelles histoires pressées

THIERRY LEFÈVRE
La terrible cuisine
de Benjamin

GÉRARD MONCOMBLE
Georges Bouton,
explomigrateur
L'héritage de Georges Bouton

JEAN-LUC MOREAU
Mimi et le dragon

DEBRA OSWALD
L'incroyable Barry
Le retour du Haricot cuit

GÉRARD-HUBERT RICHOU
Petits contes comme autrefois...
ou presque

NICOLAS VATIMBELLA
Fables goulues

Société

PHILIPPE BARBEAU
Le chat de l'ombre

ANNE BECHLER
Le trésor de l'île

MARIE-CLAUDE BÉLIOT-LAPLACE
L'arbre aux miracles

NADINE BRUN-COSME
Lisa l'intruse
15e étage, porte droite :
Léo

VALÉRIE DAYRE
Miranda s'en va

A.-M. DESPLAT-DUC
Le minus

PHILIPPE DELERM
La fille du Bouscat

FRANÇOISE GUILLAUMONT
La promesse

SUZANNE MALAVAL
Le bel été de Pontabeille

HÉLÈNE MONTARDRE
Au pied du mur
Hilaire, Hilarie
et la gare de St-Hilaire
Les étangs du Roy

DANIEL MEYNARD
Au pays du silence

CLAIRE ADÉLAÏDE MONTIEL
Le paradis des « dgines »

CLAUDE MORAND
Dans dix jours
moins trois heures

ELEANOR NILSSON
Le 89e chaton

MICHEL PIQUEMAL
Le Jobard
Grand Prix du livre
pour la Jeunesse, 1989
Prix St-Benoît, 1990

ODILE RIONDET
Sophie s'en va

AMÉLIE RANGÉ
Agathe ou le jardin
du peintre

ÉVELYNE REYMOND
L'après-midi
des dames

LANCE SALWAY
Le pays imaginaire

GENEVIÈVE SENGER
La guerre des marrons

UWE TIMM
Rudi la Truffe
cochon de course

JACQUES VENULETH
Juste un coin de ciel bleu
Sélection
« 1 000 Jeunes Lecteurs », 1991
Matin d'orage
Le Père Noël
et les enfants du désert

MARIE-CLAUDE
YÈCHE COMBES
Grand-mère
au pays des iguanes

IMPRESSION – FINITION

Achevé d'imprimer en janvier 1994
N° d'impression L 44424
Dépôt légal janvier 1994
Imprimé en France